ヒトコワ都市伝説

ナオキマン×丸山ゴンザレス

URBAN LEGENDS : FEAR OF HUMAN

彩図社

はじめに

みなさんこんにちは、「Naokiman Show」のナオキマンです。

都市伝説や陰謀論、超常現象をテーマにした、ユーチューブチャンネルを運営しています。チャンネルでは、日本国内外で収集した、今話題のテーマを取り上げています。時にはゲストをお招きして、ディープな話題の裏側を聞いたりもしています。

本書の対談相手である丸山ゴンザレスさんにも、チャンネルにゲストとしてお越しいただいたことがあります。ゴンザレスさんは、数々の危険地帯に潜入して世界の裏を取材されてきたジャーナリストです。日本の犯罪事情にも詳しく、ユーチューブで裏社会情報の発信もされています。

そんなゴンザレスさんと、「ヒトコワ」をテーマに対談したのが本書です。ヒトコワ、つまりは人の怖さに着目した話題を、都市伝説と裏社会の知識を駆使して、深掘りしていきます。

本書で取り上げる内容は結構、衝撃的です。

人間を解体するビデオがコレクションされた不気味すぎる部屋、購入した島に児童を連れ込み異常性欲を満たす億万長者、暇つぶしで人を廃人に追い込もうとするヤクザたち……。非現実的だと思われるかもしれませんが、荒唐無稽なことが事実であるということは、往々にしてあります。そんな怖ろしい現実に、「人身売買」「不可解な死」「中国の闇」「狂気のドラッグ」「ユダヤ陰謀論」「裏社会の金」という六つの切り口から、迫ってみたいと思います。

ゴンザレスさんが僕のユーチューブチャンネルにご出演いただいたとき、ありがたいことに動画は非常に好評で、多くの反響がありました。都市伝説は、嘘か本当かわからないのが魅力の一つですが、ゴンザレスさんに語っていただいたのは、取材に裏打ちされた「嘘のような本当の話」です。視聴者の方は、「そんなことが現実に起こっていたのか」と、新鮮な驚きを感じたのではないでしょうか。

本書をお読みいただくみなさんにも、そんな驚きを感じてもらえることでしょう。僕もゴンザレスさんとの対談を通じて、人間はなんて怖ろしい存在なのだろうと、改めて実感しました。読み進めていただくときっと、世界の見方が変わるはずです。

２０２４年2月　ナオキマン

ヒトコワ都市伝説

目次

第2章 不可解な死

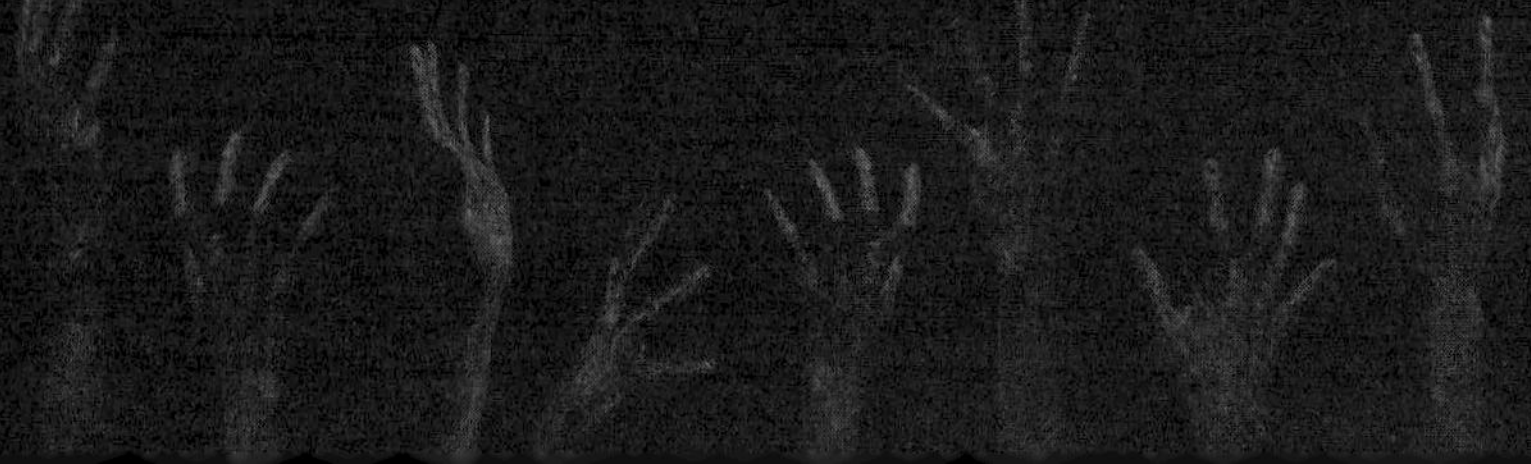

第3章 中国の闇

第4章 狂気のドラッグ

第5章 ユダヤ陰謀論

第6章 裏社会の金

——HUMAN TRAFFICKING——

第1章

人身売買

世界の人身売買ビジネスの実態

ナオキマン　今、陰謀論業界で『サウンド・オブ・フリーダム』という映画が話題になっているんですよ。人身売買をテーマにした映画で、アメリカでは同時期に公開された『インディ・ジョーンズと運命のダイヤル』よりも興行収入が多かったんです。

丸山　それはすごいですね。

ナオキマン　公開されている映画館は『インディ・ジョーンズ』より全然少ないですし、製作費も大したものではないので本来はすごい快挙なんですよ。主演俳優がQアノンの言説を力説して物議をかもしたりしましたが、作品内でQアノンへの言及はありません。でも、アメリカでも日本でも、大手メディアはこのヒットを全然報じないですよね。

丸山　確かに初めて聞きました。話題になると困る人間がいるのでしょうか？

ナオキマン　それがやっぱり、ハリウッドとの関係で報じられないのではないかと言う人もいます。映画内で語られていた内容によると、今600万人くらいの人が人身売買市場にいて、毎年200万人くらい増えているらしいんです。麻薬は1回売ったら終わりじゃないですか。でも人身売買の場合は、一人が10回くらい取引されることもあるらしくて。だから人

子どもを対象にした人身売買は世界的にタブー視されている（HTWE/Shutterstock.com）

身売買は金になるんだそうです。

丸山　なるほど。人身売買というと臓器売買をイメージする人も多いかもしれませんが、性的だったり労働力を目的にしたものは世界で広く見られますね。

ナオキマン　もちろん、映画と現実は違うので、ゴンザレスさんには海外における人身売買の実態も、お伺いしたいです。例えば、海外で特に問題視されている人身売買はあるのでしょうか？

丸山　小児性愛がからんだ人身売買は、非常に問題視されています。刑務所内で小児性犯罪者は嫌われリンチを加えられることがありますが、それは犯罪者からしても許せない、という意識があるんでしょうね。

ナオキマン　先に挙げた『サウンド・オブ・フリー

ダム』も、小児性愛を目的とした人身売買を阻止する、という映画でした。やっぱり闇が深いんですね。

丸山　ただ、それ以外の人身売買は、結構カラっとしてるというか、本人の同意があるケースっていうのも少なくないんですよ。

ナオキマン　ああ、やっぱりそうなんですね。

丸山　国連の推計によると、人身売買の世界市場は、年間３００億ドルを超えています。それほど大きな市場なのに問題が可視化しにくいのは、少なくとも成人の人身売買の場合は、本人が出稼ぎ感覚で行っているものも含まれているからなんですね。

ナオキマン　海外へ行って売春をしている、ということでしょうか。

丸山　売春ですとか、男女問わず労働者としてついていく、というケースもあります。カンボジアで知り合った女性から聞いたのですが、彼女は群馬県の温泉に売られてきたんだそうです。

ナオキマン　え！　温泉ですか。

丸山　そうです。ただ、日本に行くか、マレーシアに行くか、シンガポールに行くかで悩んで日本にしたって言うんですよ。場合によっては、そうやって自分で選択するくらいの自由があるんですね。ただ、労働者として働くはずだったのに売春しろと言われたから逃げてきたそうです。

ナオキマン　簡単に逃げられるものなのですか？

丸山　そのときはブローカーが素人で、パスポートを取り上げられなかったから逃げられました。でも、売春じゃなくて普通の仕事だったら働いてたよ、って言っていました。あとは売春をするケースでも、90日だけ〝売られて〟渡米し、90日経ったらちゃんと元の国、元の生活に戻れるっていう話です。

ナオキマン　仕事内容はともかく、本当に普通の出稼ぎと同じ形式ですね。

丸山　しかも働いた人いわく、条件が結構いいそうです。拘束されるのは90日なんだけど、実際に働くのは60日くらい。あとの30日は、自由時間。観光なんかをしているんです。だから「私はもう3回目」なんて明るく話す女性もいました。

ナオキマン　人身売買という言葉のイメージとは、結構違いますね。お金に困ってやむにやまれず売春をする、というケースばかりではなく、そこまで困っていないけどお金を稼ぐ手段として海外で売春をする、という人もいるんですね。

丸山　海外風俗っていうのが、一つのジャンルとして、ビジネスになっているんです。元々はマカオが有名だったんですけど、だんだん世界中に広まっています。

ナオキマン　さっきの群馬の温泉の話みたいに、海外の人が出稼ぎで日本にきて売春をしているパターンは多いんですか？

丸山　そういうケースは珍しくはないですね。ある時期、歌舞伎町に外国人売春がめちゃくちゃあったんです。歌舞伎町のビジネスホテルに5、6人で1部屋を借りて、そこに客を連れてくる。当番制みたいな感じで、順番にやっていくんです。客がいないタイミングもあるので、そういうときに休みをとります。彼女たちに取材をしたところ、貧乏でその仕事をやらざるを得ないかというと、そうでもないんです。日本のビザが切れそうになったら、次はマカオに行こうかな、という話もしていて、結構悠々自適な印象を受けました。最近は日本人の女性が海外で出稼ぎしているケースが増えていて「日本人＝出稼ぎ」のイメージになるかもしれない。

ピザゲート事件

ナオキマン　小児性愛がからむと問題が大きくなるという話がありましたが、それに関連した事件が近年起きました。ピザゲート事件というんですが、ご存じですか？

丸山　初めて聞きました。いつ頃の話でしょうか。

ナオキマン　２０１６年のアメリカ大統領選挙期間中に広まった話です。民主党のヒラリー・クリントンが、人身売買に関与しているっていう噂が出たんです。

丸山　ああ、日本でも少し話題になりましたね。

ナオキマン　なぜそんな噂が出たのか。きっかけは、ヒラリー・クリントン陣営の責任者ジョン・ポデスタのメールです。彼のメールが5万件流出したのですが、その中の、一見すると普通のメールに、「なんでこんな言葉が入っているんだろう」というものがいくつかあったんです。「ピザ」とか「ハンカチ」とかっていう言葉が、不自然に散りばめられていて。「ハンカチを見つけたんですけど、これ欲しいですか？　もし忙しくなかったら連絡ください」みたいな。それに、「あなたは食通だって聞いているんですけど、パスタにはくるみソースがいいのか別のソースか、どっちがおすすめですか？」ってメールもあるんですよ。

民主党のヒラリー・クリントン。2016年の大統領選に出馬

ワシントンにあるピザレスラン「コメット・ピンポン」。児童買春の拠点だという疑いをかけられた（© Farragutful/CC BY-SA 4.0）

丸山　それだけ聞くと意味不明ですね。

ナオキマン　ですよね。だから何かの隠語じゃないかって話になって、そういうのが好きなオタクたちが調べまくったんですよ。そしたら結論として、ピザとかハンカチっていうのが児童買春の隠語じゃないかということになったんです。

丸山　何か根拠はあるんですか？

ナオキマン　いろいろとあります。一つは、その流出したメールの中に「コメット・ピンポン」というお店の名前が、異常にたくさん出てきていたことです。この店は、ワシントンＤＣにあるピザレストランです。そのオーナーはジェームズ・アレファンティスという人で、「ワシントンＤＣで最も影響力のある50人」に選ばれるほどの有力者。熱心な民主党支持者としても知られています。以上をふまえた

◎小児性愛者(pedophilia)のシンボル一例

(Boy lover)
少年愛を表すロゴ

(Little boy lover)
小さな少年愛好家
を表すロゴ

（ウィキリークスが公開したFBI文書より）

うえで、こちらを見てください。これはＦＢＩが出している要注意のシンボルです（上図）。

丸山　なんですかこれは？

ナオキマン　ロリコン気質の人が好んで使っているシンボルとされています。小児性愛を意味するpedophilia《ペドフィリア》のところを見てください。

丸山　ピザの形にも見えますね……。

ナオキマン　そうなんですよ。で、実際に警察がそのピザ屋を捜索するというところまでいったんですが、人身売買を証明するようなものは何もなかった、ということになっています。これが、ピザゲート事件のあらましです。都市伝説ではあるんですが、ジョン・ポデスタが仲良くしていた人の中には、未成年への性的虐待で捕まっている人がいます。これは事実なので、そういう面での横のつながりは間違いなくあるじゃないかと。そこから、政府と人身売買組織がつながっているのでは？　という都市伝説が語られるようになりました。

丸山　なるほど、さらにこの事件の奥に陰謀がある、という流れになっているんですね。

アメリカ政府と人身売買組織

ナオキマン　政府と人身売買組織との関係で言うと、２０２３年の４月に、アメリカ政府が人身売買に関与したっていう告発が出たんです。告発したのはタラ・リー・ロダスという女性です。その方は元々アメリカ保健福祉省、通称ＨＨＳというところでボランティアをしていた人です。彼女のやっていたのが、アメリカ南部の国境付近の難民の保護でした。

丸山　あのあたりの難民問題は、よく話題にあがりますよね。トランプ政権はあそこに壁を作るって言い出したり。

ナオキマン　そうです、そうです。その場所で、バイデン政権はアルテミス作戦というのをやっていたんです。難民の子どもたちを政府で保護して、スポンサーと呼ばれる保護施設などを紹介するというものです。ただ、ロダスさんは働いてみて、とんでもないことに気づい

アメリカ西部のメキシコ国境付近地図。タラ・リー・ロダスはカリフォルニア州のポモナで、アメリカ保健福祉省のボランティアとして、国境付近の難民保護活動に従事していた

た。スポンサーになる人々が、実際は国際犯罪組織とかペドフィリアだったたっていうんです。政府は受け渡す相手のバックボーンを、全く調べていなかったそうです。

丸山　間接的に、人身売買に加担してしまっていたんですね。

ナオキマン　「アフリカの5歳の子どもが入りました」みたいな情報を出して、引き取りますと言って来た人に、大した調査もしないで引き渡してしまう。でもそのロダスさんが調べたら、めちゃくちゃヤバい相手がたくさんいたと。

丸山　ひどい話ですね。でもそれは政府が意図的にそういう組織に渡した、ということではなく体制が杜撰だった、という話ですよね？

ナオキマン　そういうことになっていますが、実際はわかりませんよね。すでに2万人くらいの子どもが、そのアルテミス計画を通して受け渡されてしまったというのは事実です。

芸能人の変死

ナオキマン　人身売買系の陰謀論でもう一つ紹介したいのが、アヴィーチーというＥＤＭミュージシャンの変死です。手がけた楽曲のＰＶは何億再生とされている世界的に有名なアーティストだったんですが、27歳のときに亡くなっています。

丸山　それが暗殺か何かだという陰謀論があるのですか？

ナオキマン　そうなんです。彼の1億回ほど再生されているＰＶで、人身売買について扱っているものがあるんです。２０２４年2月時点で普通にユーチューブにアップされています。その映像が、人身売買をする人間やペドフィリアを取り締まるっていう物語になっていて、結構過激です。最後に子どもを捕らえていた大人を捕まえて焼印を押すシーンがあるんですが、そこにはpedophilia《ペドフィリア》って書いてあるんです。

丸山　かなり明確に主張していますね。

ナオキマン　先に少し出ましたが、ハリウッドとペドフィリアは親密な関係があったということを、批判する内容なんです。こういう作品が他にもあって、何億再生もされるほど影響力が強い人でした。だから暗殺されたんじゃないかっていう陰謀論です。

丸山　表向きは自殺なんですか？

ナオキマン　鬱で自殺したとされています。こういう社会的な活動をしている著名人が変死する事件って、多いと思うんですよ。著名人の変死で有名なところだと、元ＮＢＡ選手のコービー・ブライアントとか、日本だと三浦春馬さんの自殺もですね。そういうのが実は暗殺であるというのはあり得ると思いますか？

丸山　今の二人や個別のケースがどうかはわかりませんけど、あるといえばある気がします。僕のところにも、事件の情報がタレコミで入ってくることってあるんですよ。かなり有力な情報で、おそらく解明してほしくてその人は連絡をくれたんだろうけれど、手を出したら死ぬな、という雰囲気です。アヴィーチーのような超有名人が堂々と活動していたら、あり得ない話ではないと思ってしまいます。

ナオキマン　やっぱりそうなんですね。

丸山　ジャーナリストでも、事件を追いかけて謎の死を遂げる人っているんですよね。取材じゃなくて捜査をする。事件そのものを解決しようとする。取材者から当事者になってしまう。正義感で動くタイプの人って、そういうことが起こり得るんです。他殺ではなくて、いろいろな要因で自殺に追い込まれているというパターンもあるかもしれませんけど。自殺に見せかけた他殺は、あるとは思いますね。

ナオキマン　怖いですね。コービー・ブライアントの場合は、大企業がからんでいるという都市伝説があります。彼はブラックマンバという愛称がありました。エナジードリンクを売ってる会社が商品名でブラックマンバっていうのを使っていることに対して、裁判を起こ

自動車産業は世界中で技術競争が激しく、各社のトップクラスになると強い圧力にさらされることも珍しくない

していて、その裁判の3日前に亡くなったという噂があって……。

丸山　利権系は一番ヤバいですよ。

ナオキマン　ヘリコプターの墜落で死んでいるんですよね。一番どうとでもなりそうというか、暗殺しやすそうなシチュエーションですよ。

丸山　確かに。利権系で怖いなと思ったのが、2014年にインドで起きた出来事です。自動車最大手タタ・モーターズという会社の社長が、亡くなっているんです。表向きは、奥さんとホテルに宿泊中に窓から転落して死んだ、ということになっています。だけどかなり小さな窓で、自殺だとしても不自然なんですよ。この会社は当時、水素で走る車の開発をしていました。そのせいで石油マフィアに狙われたんじゃないかって言われています。

ナオキマン　ああ、近い話を聞いたことがあります。最近は、トヨタの社長が乗る飛行機には一緒に乗っちゃいけないって言われたりしますね。トヨタはヨーロッパともアメリカとも違う技術で、新時代の自動車をつくろうとしていますから。マジで圧力がすごいらしいです。

丸山　こういう話って胡散臭いと感じる人もいるとは思うんです。だけど、絶対的な事実として、何度も殺しをやっている人からすれば、人を殺すのって単なる仕事や作業なんですよね。だから我々の感覚でそこまでやるか、なんて考えても意味がないんです。そして水素自動車にしても電気自動車にしても、それが普及したら食いっぱぐれるような人がいるわけです。つまり「この人にはできれば死んでほしい」と思ってる人は、絶対にいるんですよ。これは間違いない。そう考えたらあり得ない話じゃないんですよね。

温泉に売られた日本人女性

ナオキマン　殺すまではいかなくても、例えば誰かの戸籍を消すことって可能なんでしょうか？　戸籍を消してしまえば、普通の仕事に就くことも住むところを探すこともできなくなる。そうやって行き場をなくした人間を集めてスラムのような、もしくは児童買春で逮捕

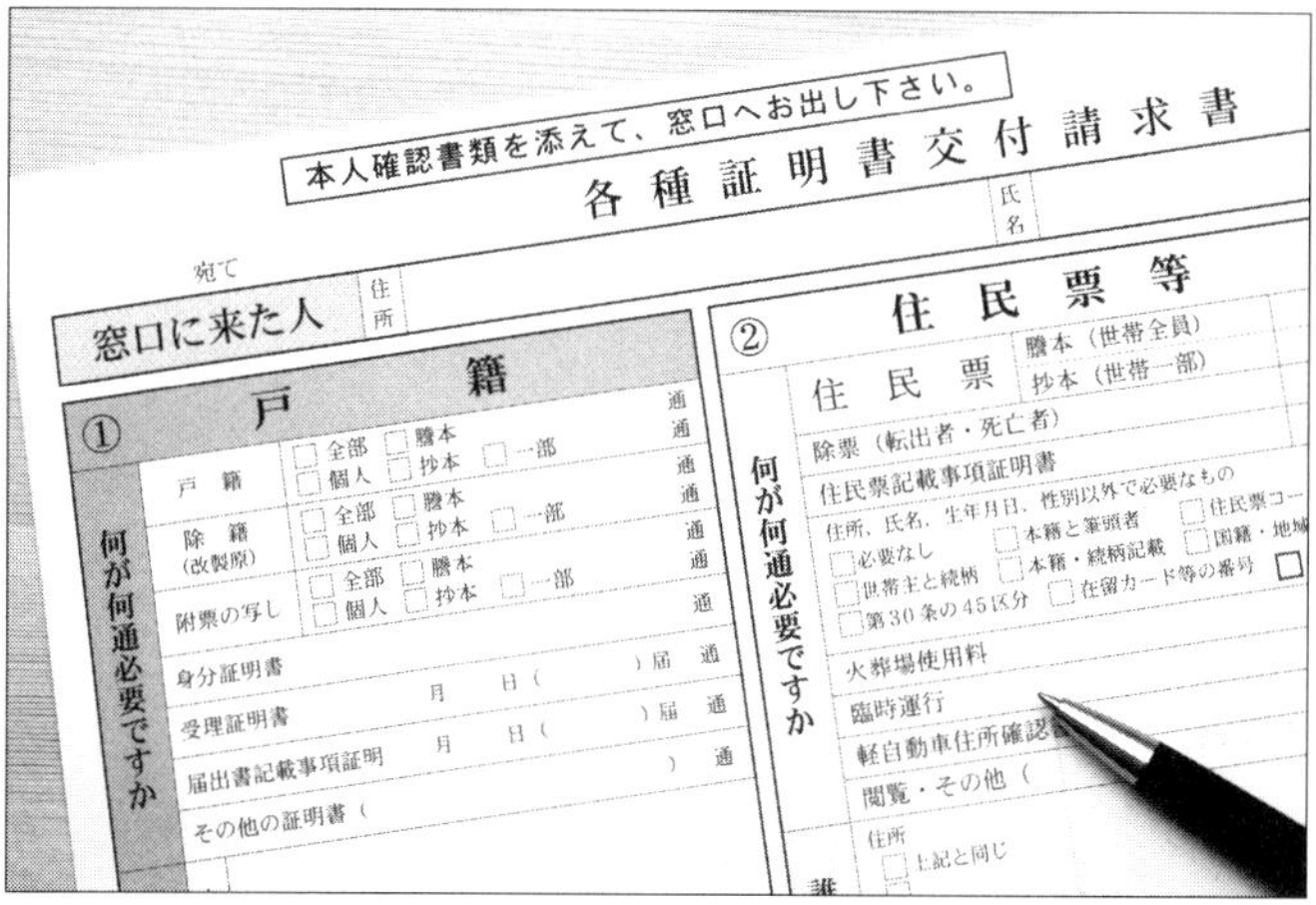

日本では、金銭的な問題を抱えた人が戸籍を売るケースも

されたエプスタインの施設のようなところ（182ページ参照）を作るって話を、聞いたことがあるんです。

丸山　うーん、そういうケースは聞いたことがないし、現実的にはないんじゃないかなあ。むしろ逆で、ホームレスの人とかが自分の戸籍を売るっていうほうがポピュラーな気がしますね。

ナオキマン　戸籍って、いくらくらいで売れるんですか？

丸山　日本でよく聞く額は、10万とか20万くらいです。

ナオキマン　安いんですね。どういう人が買うんですか？

丸山　多いのは、ビザが欲しい外国人です。最近は日本の人気が落ちていますけど、少し前は日本人の血縁ということにしちゃえば、簡単にビザが下りたので。日本人の戸籍を買った外国人が、同国人を血縁者として呼ぶわけです。

ナオキマン　なるほど。

丸山　あと僕の知り合いに、犯罪に巻き込まれて戸籍を利用された人がいます。東京に出てきた、北関東出身の女性です。東京でできた女の友人に、自分が働いているキャバクラが良い店だから一回見にきなよって誘われたんですね。言われたとおり店に行くと、店が終わったあとに睡眠薬か何かが入ったお酒を飲まされて、意識も朦朧とした状態で男たちに輪姦《まわ》されたと。

ナオキマン　グロテスクですね。

丸山　そのあとは1日か2日か、監禁状態にされるわけです。そこに一人、優しそうなボーイがやってきた。「流石に見てられないから俺が逃してやる」と言って、脱出を手助けしてくれるんです。

ナオキマン　怪しいですね。

丸山　お察しのとおりです。その男のアパートかどこかに連れていかれて「ここにいれば大丈夫だよ」なんて声をかけられるそうです。実際、数日間はそのまま無事に過ごすんです

日本で行われる人身売買の場合、温泉旅館に女性が売られるケースが少なからずある（marujiro/PIXTA）

よ。だけどある日、男が「ちょっと買い物にいってくるね」と出ていくと、ドアがガンガン！と叩かれて、元の店の男たちが乗り込んでくるわけです。

ナオキマン　逃してくれた男もグルだったってことですよね？

丸山　そうです。「おまえが逃げたせいで探すのにいくらかかったと思ってるんだ！」と難癖をつけるわけですね。女性はその場で、300万だか500万だかの借用書を書かされる。

ナオキマン　その後は、風俗産業に売られるということですか？

丸山　そうですね。このときは新潟の温泉に売られそうになったんですが、大きな地震があって道路がダメになったので、違う地域の温泉に売られたそうです。

ナオキマン　また温泉ですか。よくあることなんでしょうか？

丸山　温泉は結構よくありますよ。表向きはコンパニオンとして働くけど、実際には売春をさせられるんです。1年か2年くらい、働かされていたそうです。その頃にはもう逃げる気力もなくなっていたそうですが、たまたま、本当に偶然、学生時代の友人グループがその温泉に遊びにきたんです。

ナオキマン　漫画みたいな展開ですね……それで逃げられたんですか？

丸山　はい、友人だと気づくと意識もはっきりしたようで、必死に助けを求めて、無事、救出されました。その後、裁判で刑事告訴をして、そこからは公正に裁かれました。すべてヤクザがやっていたのですが、その裁判の中で、戸籍も利用されていたことが明らかになったんです。

ナオキマン　そこで戸籍の話になるんですね。

丸山　働かされていた1、2年くらいの間に、4回も結婚させられていたんです。それだけでなく養子もつくられていたりとか。自分自身が売られていたのもそうですけど、戸籍もそうやって利用されるんですよね。

ナオキマン　怖いですね……。

丸山　結果的に裁判でそれもすべて取り消す申請が通ったので、今は戸籍的にもきれいになっているんですが、こういう戸籍の利用というのは普通に日本でも行われているんですよ。

海外で飼い殺しにされる日本人

ナオキマン　今の温泉に売られた人の話って、人身売買ですよね。治安の悪い国ではよくありそうなイメージですが、日本国内でも人身売買ってあるんですね。

丸山　そうですね。昔はさっきの話みたいに、売り手も買い手も国内で完結する話が多かったんですが、最近は日本から海外に売られる、というパターンが増えています。例えば、職探しのサイトなんかを見ると海外赴任を前提とした案件がごろごろしてるんですけど、よく条件を見るとこれじゃ絶対にお金は貯まらないし飼い殺しみたいになるんじゃないか、っていうのが結構あるんですよ。

ナオキマン　実質的には、売られているようなものだということですね。

丸山　そうです。そうやってあまり考えず海外に渡って、お金が貯まらないから日本に帰ってくることもできずに10年、20年と働いて、気づいたら40、50歳、という人に会ったこともあります。

ナオキマン　そういうケースは結構あるんでしょうね。

丸山　これは悲惨なケースですが、もっとちゃんとした条件で本当に普通のビジネス感覚でやっている人たちもいますからね。ミャンマーとラオスとタイの3国の国境のところにゴールデントライアングルと言われる特殊な地域があります。厳密にはラオス側の国境部分なんですが、ラオス政府がそこを、99年契約で中国の反社組織に貸したんですよ。

ナオキマン　マフィアの仕切る街みたいなものがあるんですね。

丸山　そうです。そこに自分たちの遊び場を作ったんですね。カジノがあって、薬物もあって、売春もできる、みたいな。それで少し前にSNSで話題になっていたんですけど、そこでの性サービスで眼を潰された女性がいたとか、もう人権無視でとんでもないことをされてしまうみたいな話があったんですね。

ナオキマン　その話題、見かけたかもしれません。事実だったんですか？

丸山　実際にその地域で売春をしていた女性に取材もしたんですが、少なくとも僕が聞いた限りではそこまではひどくなかったみたいですね。働いている人も、拉致して連れてこられ

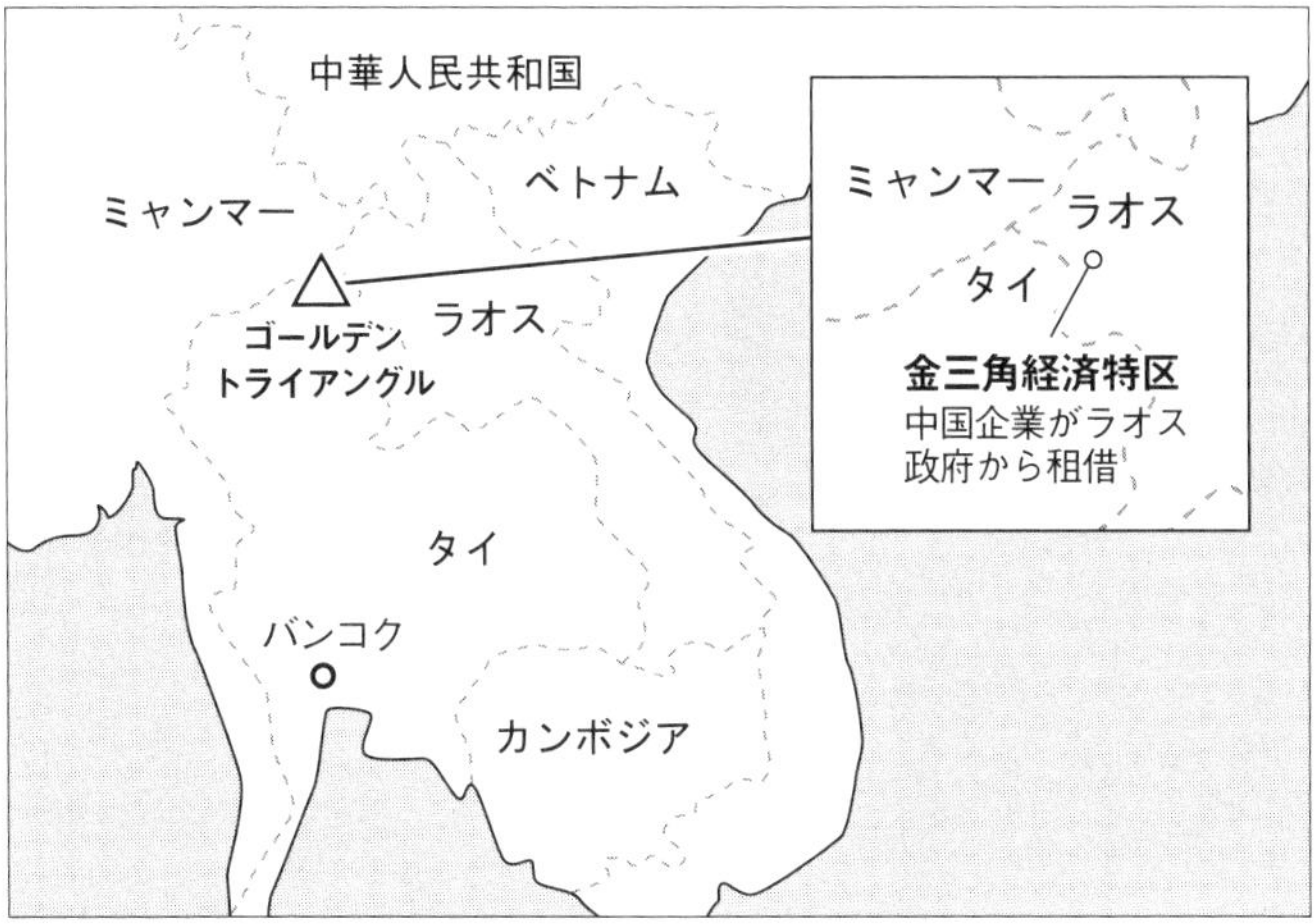

タイ・ミャンマー・ラオス国境付近

たというよりはリクルートで自らきた人が多いみたいです。

ナオキマン　先ほどの話と同じですね。

丸山　日本人だとホスト狂いで借金をつくった女性とかは多かったみたいです。だからまあ、お金に困って働かざるを得なかったと言えばそうだけど、報酬は1日で最低20万円の保証がついていたということで、稼げる仕事を探して自ら行ったという印象のほうが強かったですね。

ナオキマン　月に数百万稼げると考えれば自ら行く人もいますよね。

丸山　そうです。客となるのはだいたい中国系の富裕層や半グレ風の成金で、そういう人たちに日本人、特に日本のAV女優さんは人気なんですよね。だからサービス料金も高騰しています。つまり売春を運営している側からしても日本人女性は高級商品なので、そんなぞんざいな扱いはしないんですよ。

ナオキマン　そうやってビジネス視点で話されると説得力がありますね。

丸山　ただ、日本人女性と比べて悪い条件で連れてこられた東南アジアの地域の人とか、それこそ現地のラオスの人なんかはもう少し扱いが悪いというか「ＮＧ項目なし」みたいな形で従事させられているようなので、その中で何か不幸な事故のようなものはあったのかもしれません。

人権を無視した性奴隷は存在する？

ナオキマン　こんな都市伝説もあります。先ほどのは、ビジネスとして納得して売春をやっている人の話でしたが、そうではなくて、性奴隷にするために女性の四肢を切断して、ダルマ状態にしてしまうっていう話です。あれは本当に存在するんでしょうか？

丸山　ああ、それは昔からある都市伝説ですよね。25年くらい前、僕が初めて海外に仕事で行った頃には、すでにそういう都市伝説を聞きました。海外の見世物小屋のようなところに行くと、四肢を切断された日本人がいて、「僕は早稲田大学の学生なんです。どうにか助けてくれませんか」と言われる、なんて話です。そんな噂は結構耳にしました。

ナオキマン　その話の真偽は、実際のところはどうなんでしょう？

丸山　海外の売春宿とか見世物小屋に行くとわかるんですけど、結構牧歌的というか、強制的につなぎ止めておく感じじゃないんですよね。そもそも管理売春の場合、女性側もある程度やる気がなかったら、客がつかないじゃないですか。

ナオキマン　確かに。

丸山　そういう実情を勘案すると、四肢を切断してつなぎ止めるようなヤバい売春が実在する可能性は、低いと思います。ハンセン病の人とか、元々手足がない人が物乞いで稼いだっていう可能性はあるかもしれませんが。

ナオキマン　なるほど。実情ということで言うと、性的嗜好がヤバい人は、どこの国にもいますよね。世界の変な売春や性産業について、聞いたことはありますか？　変態っていうのはたくさんいるから、想像のつかない話がありそうだと思うのですが。

丸山　インドネシアのとある風俗で、全身脱毛されたオランウータンがナンバーワン嬢だったっていう話があります。

ナオキマン　それはまたすごい話ですね。都市伝説じゃなくて実際の話ですか？

丸山　これは本当の話です。荒唐無稽なので、僕も都市伝説なんじゃないかと思っていましたが。実際、都市伝説的に語られていた話ではあるんですよ。そういうところから人間が感染しないはずの病原菌が広まっていくんだ、というふうに。だけどそういうお店があるっていうのは厳然たる事実で、あるとき摘発されました。２００３年のことです。

ナオキマン　摘発されたんですね。いやあすごいな、それは。

丸山　オランウータンを抱きたい変態がいるんだから、手足のない人を抱きたい人だっていてもおかしくないですね。事故とか先天的な要因で手足のない人が売春をして、そこに客がついた、という話に尾ヒレがついて都市伝説的に伝わったのかもしれないです。

ナオキマン　なるほど、それはありそうですね。

丸山　基本的に性産業って、一回の取引で何億みたいな話じゃないじゃないですか。リピーターになってもらって長く稼ぐビジネスモデルですから、そんなにひどいことは起きないです。働いている女性に対しても、ぞんざいに扱って体が傷だらけになったりやせ細ってたりしたらお客もつかないですからね。

ナオキマン　納得ですね。

海外に出稼ぎにいく日本人女性

ナオキマン　先ほど海外の性産業で日本人女性が人気、という話がありました。昔のイメージだとむしろ東南アジアとかの女性が日本にきて、性的な仕事をするという印象のほうが強い気がします。

丸山　そうですね。もちろん今でもそういう方々はいらっしゃいますが。

ナオキマン　それが逆に日本から女性が出稼ぎにいっているというのは、やはり日本全体が貧困化しているから、なんでしょうか。

丸山　うーん、それもあるかもしれませんが、実はそうやって海外に行く女性は日本の中でも本当の貧困層というわけではなく、ある程度お金を持っている人が多いんですよ。

ナオキマン　え、そうなんですか。

丸山　有名風俗嬢とか、パパ活女子の中でも特にうまくいって稼げている子とか、そういう子が多い印象です。そしてさっきも少し話に出ましたが、そういう子たちがホストにお金を使ってしまって、みたいな話は多いですね。日本の貧困化というよりは、そうやって夜の世界でお金がまわる構造の一環として、海外の性産業が組み込まれているようなイメージです。

ナオキマン　ホストの売掛問題に関しては昨年話題になって国会でも議論されていましたけど、実際に海外の性風俗に出稼ぎにいくような人が増えてるんですね。

丸山　あとは日本のAV嬢さんは本当に中国の富裕層に人気があるので。そういう人たちは単純にギャラがいいからということで行くこともありますね。AVメーカーを通して女優さんを抱える事務所に直で「この人お願いできませんか」と連絡がくる場合もあるそうですよ。

ナオキマン　へえ、その場合ってどれくらいのギャラになるんですか？

丸山　もちろんさまざまなケースがあると思いますが、僕の聞いた話だと、とある有名AV女優さんが一晩で4000万円稼いだなんていう話もありました。

ナオキマン　一晩で4000万！　それはすごいですね。

丸山　なんで4000万かというと、そのとき持っていた紙袋に入る金額が4000万円だったたっていう（笑）。

ナオキマン　明らかに製品としてのAVじゃない、よくわからないアジア人と有名AV女優がやっている映像が出回ったりしてるじゃないですか。あれはそういう出稼ぎのときのものなんですかね。

丸山　そうだと思いますよ。いわゆるハメ撮りプランみたいなのもあるので。

風俗産業で稼いでいる女性が、海外の性風俗へ出稼ぎにいくケースが増えている。中国の富裕層からAVメーカーに、女優に来てほしいと連絡がくることもある

ナオキマン　そういうことなんでしょうね。ビジネスとしてきっちりやっている感じなんですね。

丸山　面白いのは、中には「一晩1000万円」と言われたら、割が良いと喜んでやる人もいるけど、一方でプライドがある女優さんもいるわけですよね。

ナオキマン　女優であって風俗嬢とは違うぞ、みたいな。

丸山　そうですそうです。そこでハメ撮りにすることで、作品という体裁にするわけですね。そうすればプライドを持っている女優さんも呼ぶことができるので。あくまで、僕の推測ですけどね。

中東の王族のもとで踊り続ける

丸山　あと面白い例では、中東の王族がいろんな国の美男美女を集めているという話を、最近聞きました。

ナオキマン　男もですか。

丸山　性的な何かをするというわけじゃなくて、集めた美男美女を8時間3交代制で、24時間クラブで踊り続けさせるんです。

ナオキマン　え？　どういうことですか？

丸山　王族ともなると、自由に遊びに行けないんですよね。社会的にも政治的にも、いろんな事情があって。そこで自分が遊ぶ場所を作っている、ということらしいです。ようはイケてる男女を集めて自分もその中で遊んでみたい、ということなんだと思います。

ナオキマン　気晴らしのためにそこまでやるんですね（笑）。

丸山　集められる側にとっては、結構いいお金になるそうなんですが、審査が厳しいらしくて。例えば待合室に食べ物が置いてあって、「何も食べずに待っててください」と言われたのにこっそり手をつけちゃったらアウトとか。クラブの存在だったりそこで話されているこ

サウジアラビアの首都リヤド。中東の王族の中には、オイルマネーで秘密の遊び場を作る者もいるという

とだったりを絶対に口外されたくないので、信用できる人間かどうかのチェックがいくつもあるそうなんです。

ナオキマン　ただ踊ってるだけでお金をもらえるなら、やりたい人は多そうですよね。

丸山　そう。人身売買とは少し違いますし、極端なケースではありますが、格差が広がっていくことで、そうやって自分の時間を売るというビジネスはどんどん増えていくと思います。

ナオキマン　イルミナティが世界を支配しているという都市伝説ではないですが、そうやって結果的に権力者や大富豪たちに自分の人生を売って生きていく世界になっていくかもしれませんね。

赤ちゃん工場の需要

ナオキマン　子どもや大人だけでなく、赤ちゃんの人身売買もありますよね。数年前には、ナイジェリアの赤ちゃん工場がニュースになりました。無理やり子どもを産ませて、それを売買するという。あれって臓器売買目的って聞いたんですけど、そんな小さな子どもの臓器が、商売的に需要があるんですかね？

丸山　臓器移植自体が博打ですからね。ストックはたくさんあったほうがいいんでしょう。ただ、赤ちゃん工場に関しては、臓器移植目的よりも養子目的のほうが多いんじゃないかなと思います。子どもがいないと呪われるっていう価値観が、ナイジェリアにはあるので。あとは呪術で、赤子の身体の一部を使うっていうケースもあります。

ナオキマン　ああいうのって、検索するとめちゃくちゃいろんな情報が出てくるんですけど実際に至るところにあるんですか？

丸山　僕が知る限りでは、あんまり多くはないですね。もちろんニュースになったとおり、存在するのは間違いないんですよ。僕も取材をしようとしたことがあるのですが、その場はもう潰れてしまったとかで、詳しいことはあまり聞けませんでした。ただナイジェリア国

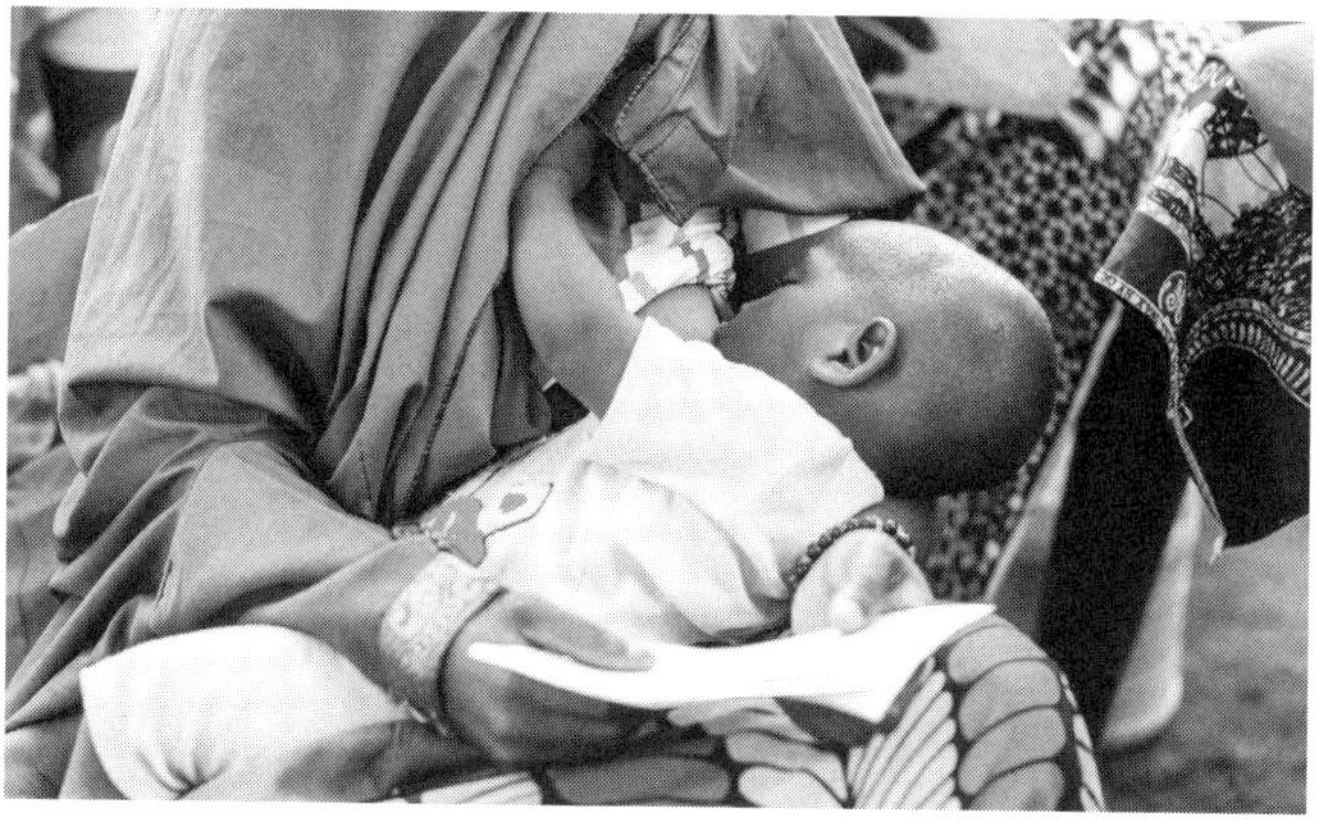

ナイジェリアの乳児。同国では乳児の人身売買事件が問題視されており、世界的なニュースになることもしばしばある（Oni Abimbola/Shutterstock.com）

内では「ああ、あれね」という感じだったので、ある種公然の秘密というか、みんな認知しているようでしたね。

呪術のための人身売買市場

ナオキマン　都市伝説の世界では、悪魔崇拝の話も結構あるんですよ。それこそ、生贄の話とか。ゴンザレスさんから見て、そういった生贄のための人身売買ということは、あり得ると思いますか？

丸山　あり得ると思いますよ。僕が取材した南アフリカでは、今でも人間のパーツを儀式に使うので、それを売買する市場もあります。

ナオキマン　それは儀式のために人を殺すということですか？

丸山　殺しているかどうかはわからないんですよ。というのも、そこで取引されているのは手足なんですね。なので、切り落としているだけという可能性もあります。
ナオキマン　狙われやすい人っているんですか？
丸山　僕が取材したときに聞いたのは、アルビノの人ですね。ＨＩＶの治療薬として効果があるんだと言っている人はいました。
ナオキマン　絶対に効果ないですよ（笑）。
丸山　そう、絶対ないです（笑）。あと呪物コレクターの方から聞いた話だと、血はかなり使うそうです。
ナオキマン　えっ、何に使うんですか？
丸山　儀式のとき、人形に血をかけるんだそうです。ほとんどは鳥の血を使うそうですが、人間の血だとより神聖だという価値観があるみたいです。そういう呪物の人形はある程度残っていて、鳥の場合は羽がついているのですが、髪の毛がついている場合もあります。そういう場合は「ああ、人間の血を使ったんだな」と判断できるそうです。
ナオキマン　そういえばタイにも、クマントーンというお守りがあると聞いたことがあります。胎児の遺灰を使ったもので、その地域では神聖なものとして尊ばれているという。あれって実在するんですか？

丸山　実在しますよ。骨や遺灰、爪なんかが使われます。ただ、規制は厳しくなってきています。呪物コレクターの方は、とある国でクマントーン用に加工された胎児の遺体を見つけたそうですが、それを日本にどう持ち込むかで、揉めています。

ナオキマン　なるほど。確かに遺体を飛行機で運ぶ場合、普通は防腐処理などいろいろな手続きが必要ですしね。

丸山　そうですね。そんな面倒があっても持ち込みたいってことは、呪物自体に人を吸い寄せる何かがあるのかもしれません。その人がヤバいコレクターってことも、あるかもしれませんが。

—MYSTERIOUS DEATH—

第2章

不可解な死

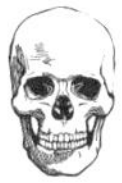

不思議な事件の起きるホテル

ナオキマン　この章では、不可解な死をテーマに、お話ししていきたいと思います。まずは都市伝説界隈で話題の事件から。不自然死にまつわる事件で有名なものに、エリサ・ラム事件っていうのがあるんです。ゴンザレスさん、ご存知ですか？

丸山　聞いたことはあります。すごく不思議な事件ですよね。

ナオキマン　そうなんです。エリサ・ラムという香港系の女性が、ロサンゼルスのセシル・ホテルで亡くなっていたという事件です。

丸山　死亡時の状況が不可解だと、話題になりました。

ナオキマン　そうです。遺体が見つかったのがホテルの屋上の、貯水タンクの中なんですよ。屋上に上がるための扉は施錠されていて、どうやって屋上に上ったのか、わかっていません。さらに貯水タンクは、一人じゃ絶対に開けられないような、重たい蓋で塞がれていた。どう考えても、自殺や事故死には思えないんです。

丸山　確か、亡くなる直前の映像が出回っていましたよね。

ナオキマン　そうです。ホテルのエレベーターの監視カメラの映像なんです。映像内のエリ

エリサ・ラム事件の舞台となったセシル・ホテル（© Jim Winstead/CC BY 2.0 DEED）

サ・ラムは、すごく不自然な行動をしていました。一人でエレベーターに出たり入ったり、誰かから身を隠すような素振りを見せたり。

丸山　何か薬をやって幻覚を見ていた、という線はないんでしょうか？

ナオキマン　それが検死の結果、覚醒剤などの使用はなかったとされているんです。それで警察は不慮の事故、と結論を出しているんですが、さっきも言ったとおり貯水タンクは一人では開けられないし、遺体は裸でタンクの中に入っていたんです。

丸山　うっかり足を滑らせて落ちた、ということではないですよね、確実に。

ナオキマン　ただ、彼女は精神的な病を患っていたという話があって、それで幻覚を見ていたのでは、という説もあります。だとしても、どうやって屋上に上っ

ブラック・ダリア事件で殺害されたエリザベス・ショート。ブラック・ダリアは、ショートのニックネームだとされる

て貯水タンクの蓋を開けたのか、というところは説明できないんですよね。

丸山　警察は事故死としているけど他殺の可能性がある、と。

ナオキマン　ちなみにこの事件、なぜ発覚したかというと、その遺体が入った貯水タンクの水を、ホテルの他のお客さんが飲んでいるんですよ。「水が黒くて変な味がする」とクレームが入って貯水タンクを確認したら遺体が入っていたという。

丸山　そのお客さんたちからしたら最悪ですね……。

ナオキマン　もう一つ、この事件が話題になった理由が現場となったホテルです。丸山さん、ブラック・ダリア事件というのはご存知ですか？

丸山　有名な未解決事件ですよね、アメリカの。

ナオキマン　そうです、１９４７年に起きた殺人事件です。エリザベス・ショートという女性が、腰の部分で身体を両断されるというすさまじい状態の遺体で見つかった事件です。結局犯人は捕まっておらず、アメリカで最も有名な未解決事件の一つとされています。

丸山　さっきのエリサ・ラム事件は結構最近でしたよね？　どんな関係があったんですか？

ナオキマン　そうですね。エリサ・ラム事件は2013年なので、比較的新しい事件です。ただ、このブラック・ダリア事件の被疑者が、エリサ・ラム事件の現場であるセシル・ホテルに潜伏していたと言われているんです。それに、ブラック・ダリア事件の現場もそこから近かった。エリザベス・ショートが亡くなる直前、セシル・ホテルの隣のバーでお酒を飲んでいたという話もあります。

丸山　時代も違うし直接のつながりがあるわけじゃないけれど、不思議な事件と縁の深いホテルっていうことですね。行ってみたいです、そのホテル。

ホテルは事件が起こりやすい？

丸山　実は日本でも、ホテルで起きた未解決事件とか不思議な事件というのは、結構あるんですよ。新宿の歌舞伎町なんかで不審な遺体が見つかったという話は、よく聞きます。

ナオキマン　殺人事件ですか？

丸山　いろいろなケースがありますね。歌舞伎町のホテル、というかラブホテルは、ヤクザが監禁場所に使ったり、潜伏したりするときによく使われる場所です。それにヤクザ以外でも、人生に行き詰まった人が流れ着きやすいんですよ。生活に困った家のない人、犯罪者などがよく流れるし、ヤクザも利用する、となれば当然いろんな事件が起きますよね。

ナオキマン　なるほど、そう言われると説得力があります。

丸山　最近聞いた話だと、40代半ばくらいの子どものいない夫婦が、生活に困って荷物も家もすべて引き払ったあと、ラブホテルを転々としていたそうです。結局、その夫の方が無理心中を図って奥さんを殺害し、山の中に逃げて捕まるんですね。その奥さんを殺したホテルは、地元では有名な心霊ホテルで、過去に何件も自殺や心中があったホテルだったそうです。そういう人を引きつける何かが、あるのかもしれませんね。ラブホテルというのはとにかく人の念がこもっている場所なんですよ。

ナオキマン　幽霊が出たり……。

丸山　そういう話もありますよ。有名なところだと、新宿の第6トーアビルというのが自殺の名所なんです。

ナオキマン　新宿にそんな場所があるんですね。

歌舞伎町のラブホテルでは、裏社会の人間がしばしば事件を起こす

丸山　そこはいわゆるホスト街なんですけど、ホストだったりホストにガチ恋した風俗嬢だったり、とにかく男女のトラブルで飛び降り自殺をする人が、あとを絶たない場所でした。それで今は自殺の名所になってしまって、女の子がそのビルの屋上で「今から死んでやる！」って男に自撮り写真を送りつける、みたいな場所になっています。未遂も含めると年間で10件近くそういう事件が起きています。そこではホストの幽霊が出るっていう話が結構言われています。

ナオキマン　ちょっと話がそれますが、ラブホテルと言えばよく「隠しカメラがある」なんて話を聞きますけど、あれは本当なんですか？

丸山　あるところもありますね。

ナオキマン　それをＡＶみたいなものとして、売るわけですか？

丸山　そうですね。知り合いから聞いた話だと、とあるホテルで薬物を使用してセックスをするいわゆるキメセクをしようとして女が「このホテルで待ってる」と連絡したら、男のほうが「そこは隠しカメラがついてるからすぐに外に出ろ！」って。ヤクザのシノギになっているんですよ、そういう映像を売るのが。男はそういう事情を知っている裏社会の人間だったから、さすがにそこじゃできないよね、となったんです。

ナオキマン　怖いですね。そういうホテルと普通のホテルを見分ける方法はあるんですか？

丸山　うーん、難しいですが、池袋から埼玉にかけての、ちょっとした郊外型のホテルに隠しカメラが多いと聞いたことがあります。おそらく車で入るようなところのほうが、回収しやすいんでしょう。ちなみに、隠しカメラにもいろいろありますが、マジックミラーのように鏡に仕込んでいるものは、見分け方があります。

ナオキマン　どうやるんですか？

丸山　鏡に指をつけるんです。普通の鏡はガラスに金属を吹き付けて作っているので厚みがあります。そのためくっつけている指と映っている指の間に隙間ができるのですが、ガラスにフィルムを貼っただけのマジックミラーの場合、指の間に隙間ができないんです。

拷問部屋は実在する？

ナオキマン　ホテルのような閉鎖空間と関連して、ゴンザレスさんにお聞きしたいことがあります。実在するRED ROOMってご存知ですか？

丸山　RED ROOM？

ナオキマン　簡単に言えば、拷問部屋です。ダークウェブの中で、都市伝説的に語られていました。実際はそんなのあるわけないよね、というのが通説だったんですが、10年ほど前、実際にRED ROOMの存在が明るみに出る事件があったんです。

丸山　どの国で起きた事件ですか？

ナオキマン　フィリピンです。ピーター・スカリーというオーストラリア人が、フィリピンで人身売買ビジネスを始めたんです。このあたりはゴンザレスさんのほうが詳しいかもしれませんが、人身売買って、貧困層を狙うんですよね。

丸山　はい、そういうケースはよくありますね。

ナオキマン　お金払うよって言えば、親が子どもを手放すのも珍しくない。それで女性を何人も買って、拷問していたと。拷問の内容は非常にグロテスクなものなんですが、その映像をダークウェブで販売してたんです。動画によっては一つ100万円とかっていう高額で。彼が捕まったとき、「本当にこういう拷問部屋ってあったんだ！」と驚いたのですが、ゴンザレスさんはこういうケースはご存知ですか？　例えば日本にもRED ROOMというか、拷問部屋が存在する可能性はあるんでしょうか？

丸山　日本でもありますね。直接観たという話を聞きましたよ。

ナオキマン　えっ、本当ですか!?

丸山　知り合いの経営者が、とあるビルを買ったんですよ。普通は買う前に業者が清掃に入るものですが、その人はいつも、費用を安く済ませるために掃除をしてない状態で買って、自分の抱えている業者に掃除を頼んでいます。

ナオキマン　ビルを買い慣れてる人なんですね。

丸山　そのビルでも、いつもの清掃チームが清掃に行ったそうです。するとすぐに電話がかかってきた。出てみると、「このビル、ヤバいです。すぐに来てください」なんて言う。そこでビルに行ってみると、中に入ってまず違和感がすごかったらしいんですよ。なぜかというと、外から見たビルの階数と、内側の階数が合わないんです。

ナオキマン　隠しフロアがあると……？

拷問を目的としたと思われる部屋は、海外のみならず日本でも見つかることがある

丸山　そうです。中2階のような空間があるわけです。そこを見ると、何かを切って錆びて固まったチェーンソーがたくさんある。加えて手書きの人体解剖図のようなものもあったそうです。明らかに手書きなんだけど、実物を見ながらじゃないと書けないよねというくらい精緻なものが。

ナオキマン　その状況、完全にヤバいじゃないですか。

丸山　そして別のフロアに行くと、真新しいオーディオルームのような部屋があって、中に大量のVHSがあったんです。棚にきれいに並べられた状態で。なんだこれは、となりますよね。電気がまだ通っていたので、一つ見てみると、人間の身体を解体している様子が、そのまま撮影されていたんです。

ナオキマン　ええー!?　グロテスクですね……。

丸山　これは怖いとなって、人がいないか確認しようと、一番上まで上がったらしいんです。すると、大広間のような空間に、備え付けのジャグジーがあった。でも、実際に使われていたであろう頃からずいぶん時間が経過して、廃墟化していたそうです。

ナオキマン　不気味ですね。でも、そんなものを残した状態で、なぜビルが売られていたんでしょうか?

丸山　詳しくはわかりませんが、そのビルの元々の持ち主は事故死だったそうです。持ち主は1階か2階に住んでいて、何も仕事はしていなかったけれど、誰も上に入れようとはしなかったとか。それを行政が競売に出した。僕の知り合いにしても、詳しく調べずに立地だけを見て買っていたそうです。

ナオキマン　それまで誰も詳しく中を調べてはいなかったってことですね。

丸山　残置物は物件の評価と関係ないですから。それで購入したその人が、これは通報しないとまずいなと思ってビルを出ようとしたところで、大勢の見知らぬ男たちがビルに入ってきたんです。「あなたたちここで何をしてるんですか」と言って。何をしてるも何も自分が買ったビルです、となるわけじゃないですか。そしたら「言い値で買い取るのですぐにここから出て行ってください。何も持ち出さないでください」と。

ナオキマン　日本ですよね!?　現実離れした話だな。

丸山　そこで、明らかに相場から外れた高い金額をふっかけたらしいんですよ。そしたらそのままあっさりその金額が支払われたそうです。

ナオキマン　怖いですね。しかし、どういうことが行われていた部屋なんですかね。ゴンザレスさんはどう推理していますか？

丸山　日本って、家出したまま行方不明になる人が、結構いるんですよね。

ナオキマン　年間8万人くらいでしたっけ。

丸山　そうです。だからお金持ちが、そういう人を買って遊ぶ場だったんじゃないかなと予想しています。ビルは7、8階建てで裏側に階段がついていて、下りると公園に抜けることができました。何かあったら逃げられるようになっていたわけです。

ナオキマン　海外ならよく聞く話ですけど、日本でもあり得るんですね。

丸山　僕も気になって、その場所を取材しようとしたんです。でも、知人から聞いた場所を訪ねたら、ビルは解体されて更地になっていました。

ナオキマン　そうなると、同じようにビルごと証拠を隠滅して、拷問部屋をなかったことにしているケースも、あるのかもしれないですね。恐ろしいな。

サイコパスは一見すると常識人

丸山　こういう話はたくさんあるんですが、サイコパスに接したという人に取材をしていると、興味深いことに「サイコパスは身なりがいい」という話をよく聞くんです。それも殺人関係だけではない。例えば、とある知人が担当した清掃の仕事では、依頼人が集めた尿の入ったペットボトルを処理するよう言われたそうです。

ナオキマン　そういう趣味の人ということですか？

丸山　そうですね。糞尿フェチの人だったらしくて、尿の入ったペットボトルを「しょんペット」と言っていたそうです（笑）。そのしょんペットが部屋中にもう壁のように積んであった。

ナオキマン　ちょっとその部屋には入りたくないですね……。でも、なんで処理することにしたんですか？

丸山　室内の消防設備点検か何かでどうしても人を部屋に入れなければならなくなったけど、量が量なので隠すこともできない、と。それでその知人が清掃に入ったんです。そのとき依頼人は「僕の部屋どうでした？　どうでした？」って笑顔で聞いてきたそうです。

特殊な嗜好が周囲にバレないよう、見た目に気を使って社会に溶け込んでいるサイコパスもいる

ナオキマン　すごい……本物の変態ですね。

丸山　股間はビンビンだったそうです（笑）。で、ここからが本題なんですけど、それでも一見して身なりは普通というか、むしろしっかりしているんですよ。仕事も有名企業に勤めているらしく、スリーピースのスーツをしっかりと着こなしてエリート然とした見た目をしている。

ナオキマン　自分の特殊な性癖をバレないようにする術を知っているんでしょうね。バレてしまったらそういう活動も続けられなくなるから。

丸山　そうなんでしょうね。社会性からズレたら目立つっていうことがわかっていて、自分を客観視できているのが逆に怖いなと思いました。

ナオキマン　そのフェチの部分以外は普通の人なのかもしれませんね。

丸山　幼少期に何かのきっかけでそれに興奮しちゃって……みたいな過去があるのかも。

ナオキマン　そう考えるとちょっとかわいそうな気もしますよね。自分を隠して生活しなければならないという。

丸山　ただ、巻き込まれる側はたまったものじゃないですよ。尿を溜めておくくらいなら他人にあまり迷惑をかけませんが、小動物の死体フェチの女性から依頼を受けたという話もあります。

ナオキマン　死体フェチ。コレクションしているんですか？

丸山　そうですね。冷蔵庫の中にきれいにパッキングされたさまざまな動物の死体があって、コレクションしているだけでなく食べたりもするそうです。

ナオキマン　それは強烈ですね……。

丸山　そういう欲求が抑えきれずに犯罪を犯す人もいますからね。ただその女性もとてもきれいでおしゃれな人だったそうです。だからサイコパスっていうのは世の中のどこにいるかわからないいんだなと思います。

ナオキマン　自分でサイコパスですと名乗る人はいませんからね。

自殺者を予想する人間競馬

丸山　証拠の残りにくい殺しというか追い込みとして、「人間競馬」っていうものがあります。聞いたことはありますか？

ナオキマン　人間競馬？

丸山　日本のとある暴力団組織の幹部が、博打も飽きたから何か面白いことないかなと言って始めた「遊び」とされています。

ナオキマン　漫画の『カイジ』に出ていた、鉄骨渡りのようなものでしょうか？

丸山　あれとは全然別物です。まずは馬役となる人間を何人かピックアップします。選ばれるのは、死んでもあまり話題にならないような人たち。その人たちに集団ストーカーをかけて、誰が最初に自殺するかっていう順番を予想して賭けるっていうものらしいんです。

ナオキマン　「ゴール」が死ぬことって……恐ろしいですね。

丸山　ゴールには精神錯乱して廃人になるとか、いくつかあって、それぞれにオッズがついてるらしいです。賭けをやる側のメリットは、バレにくいことにあります。統合失調症の症状として、集団ストーカー被害に遭ったと思い込むことがあるので、警察に駆け込んでも相手にされないんですよ。そういう人はたくさんいるから。だから事件化しづらいようです。

ナオキマン 僕のところにも、そういう被害に遭っているという話はめちゃくちゃきます。

丸山 大半は精神疾患を患っている方だと思うんですけど、中にはそういうゲームに巻き込まれている人がいるかもしれない。

ナオキマン それは都市伝説ではなくて、確実に存在しているものなんですか？

丸山 初めて話を聞いたときは僕も嘘でしょと思ってたんですが、今から20年くらい前かな、知り合いの探偵に声をかけられたんですよ。その探偵は、探偵と言いつつ反社とズブズブで、最終的には恐喝を仕事にしていたような人です。その人からこういうゲームがあって馬役にいい人がいたら紹介料払えるけど、って言われたんです。それでガチのやつだったんだ、とわかったんです。もちろん断りましたけどね。

ナオキマン 馬を探すんですね。誰でもよくはないんですか？

丸山 まあ、ある程度身元が割れていて、いなくなってもいい人っていうのを探しているんですよ。

ナオキマン いなくなってもいい人というのは、友だちが少ないとか身寄りがない人とかですか？

人間競馬は、暴力団幹部が余興のために始めたとされる。馬役に選ばれた人々は、集団ストーカーによって精神的に追い込まれていく

丸山　そうですね。例えば地方出身者で家族から離れていて友だちもいないし、仕事も不安定で……という人は、事件として立件されづらいですから。

ナオキマン　その人を追い込むために人間関係工作があるんですね。

丸山　そういうことです。ハニートラップと同じで、運命的な出会いなんていくらでもつくれるわけですよ。仲良くなるのなんて、そう難しくない。さらにその人を攻撃する敵役もつくったりする。そうなると最初に仲良くなったほうの人は、その馬役にとってとても信頼できる味方になりますよね。で、信頼しきったところで味方だと思っていた人から攻撃されると、精神的に一気に追い込まれる、というわけです。

ナオキマン　チームでやってるんですね。えげつないな。

痴漢冤罪のつくり方

丸山　その話をもってきた探偵は、結局そのあと投資詐欺か何かをして飛んじゃったんです。元々は、痴漢冤罪をつくることをシノギにしていました。

ナオキマン　裏がらみの案件の専門家なんですね。でも痴漢冤罪って、商売になるんですか？　慰謝料で儲けるということでしょうか？

丸山　離婚したい人のために、別れさせ屋をやるのが多いみたいです。別れたいって言ってる奥さんが依頼にきたら、手付けで100万円くらいもらう。そして女の子を送り込むっていう流れです。

ナオキマン　なるほど、奥さんが依頼者なんですね。

丸山　そうなると、そもそもそのターゲットの情報はわかるわけですよ。どの電車に乗っているとかどんな子がタイプとか。

ナオキマン　そりゃそうですね。

夫との離婚を望む女性から依頼を受けて、痴漢冤罪をつくり出す者もいる（Matej Kastelic/shutterstock.com）

丸山　しかも1回2回で冤罪をつくるんじゃなくて、ちゃんと段階を追って、しっかり時間をかけるんですね。何回も同じ電車に乗せて、女の子側から話しかけさせたりして、手を出させるわけです。取り押さえる他の乗客役の人間も、同じ車両に乗せておいて。そうなれば旦那は性犯罪者ですから、奥さんのほうはなんの傷も負わずに離婚ができる。

ナオキマン　そういう仕事って普通にあるんですか？　その人は飛んだっておっしゃいましたけど、今でもやる人はいるんでしょうか？

丸山　もちろんいますよ。専門の業者みたいなものもあります。探偵の仕事って「調査」と「工作」があるんですよ。工作っていうのが人をハメる仕事です。裏の世界では「おたくは工作受けてますか？」なんて聞いたりしますね。もちろん、健全に調査だけをやっている探偵がほとんどですよ。でも、中にはきわどい仕事をする人もいる、ということです。

牢獄の中の暗殺

ナオキマン　証拠を残さない殺しと言えば、牢獄の中で暗殺される、というのは実際にあることなんでしょうか？　というのも第5章で詳しく話すエプスタインは、児童への性的暴行容疑で逮捕されたあとに、牢獄の中で死んでいるんです。そういった話は世界的にも多くて「暗殺されたんじゃないか」と言われるんですが、ゴンザレスさんから見て、そういうことは可能だと思いますか？

丸山　可能だと思いますよ。もちろん、国によって事情は違いますが。

ナオキマン　中南米には、そういう事件が多いイメージがあります。

丸山　そのイメージは正しいです。中南米はもう別格です。そもそも暗殺ではなくて、囚人が囚人を裁くことが普通にあります。エプスタインじゃないですが、子どもに手を出した性犯罪者は、1週間も生きていられないと言いますし。

2023年2月、エルサルバドルの巨大刑務所に収監されたギャングたち（写真提供：AFP＝時事）

ナオキマン　嫌われ者は牢獄の中でも嫌われる。

丸山　他の囚人みんなから、リンチされて殺されます。看守も見て見ぬふりをするんですよ。

ナオキマン　やっぱり中南米の刑務所はすごいですね。治安も悪そうですが、実際のところどんな雰囲気なんでしょう？

丸山　僕はいろんな国の刑務所に取材で入らせてもらうんですが、結構どこも囚人がドラッグを持っていたりしますよ。日本にいると信じられないかもしれませんが。犯罪者が多いので、取り締まりなんてできないんでしょう。どこの国だかうろおぼえなのですが、30年くらい前にある国では、あまりにも囚人の人数が多すぎて管理できないから「夜ちゃんと戻ってくるなら日中外に出てもいいよ」と対応をしていたくらい。

ナオキマン　ほぼ普通の家じゃないですか（笑）。

丸山　暗殺が起こるのかという話でしたが、同じ刑務所内に対立組織の構成員が収監されている場合、暗殺に発展することはありますよ。自分の組織の囚人に「あっちの組織のやつが収監されてるから殺してこい」という命令を出すわけです。

ナオキマン　刑務所側は何もしないんですか？

丸山　刑務所側も、別の組織の人間はできる限り離して収監しているんですが、それでも毎年、そういった抗争や殺害事件は起きます。毎年、年末ぐらいの時期に、首切り事件が起きたりとか。２０２３年もメキシコとかブラジルで、そんな事件があったんじゃないかな。

ナオキマン　刑務所側としては、暗殺が起きたらどうするんですか？　何度も起こるということは、不問にするということですか？

丸山　取材で聞いてみたところ、どうやら看守では止められないらしいんですよね。囚人が一人とは限らない上に、どこからともなく銃を持ってくるらしくて。

ナオキマン　ええ……（笑）。看守にお金を渡して手に入れるんですかね？

丸山　そういうケースもあるでしょうし、よく聞くのは面会で仕入れるケースです。刑務所の外にいる家族や友人に会える時間がありますよね。そういうときに工夫して持ち込むそうです。妊婦に見せかける特殊メイクでお腹を大きくしてその中に入れておく、とか。

ナオキマン　すごいですね……。

丸山　少し前は、ドローンを使って上空からポトン、と施設内に落とすやり方も流行っていましたよ。あとは、肩が強い人が外から投げ込むとか。

ナオキマン　アナログすぎですよ（笑）。

丸山　いやでも実際に起きたことがあるんですよ（笑）。そうやって、あの手この手で武器であったりドラッグであったりを、刑務所の中に入れていくものなんです。だから誰かを殺せという指示を実行するのは難しくないでしょうし、証拠隠滅のための暗殺もあり得ない話ではないですね。

コールドスリープ施設から消えた頭部

ナオキマン　ゴンザレスさんは、コールドスリープってご存知でしょうか？　人体を冷凍保存して、いつかそれを解凍する技術が生まれたときに生き返ろうという技術です。

丸山　フィクションではよく出てきますし、実際にアメリカにそういうことをしている組織がありましたよね。

ナオキマン　そうです、そうです。アルコー延命財団という組織です。１９７６年に、初めて人間のコールドスリープを行いました。この分野の草分けでもありますが、一方できな臭い話もゴロゴロあります。元々消防士をしていたという人が、そこで働きはじめたんですが、施設の中の状態があまりにもひどいということで、２００９年に告発本を出版してるんです。その内容がすごい。施設はアリゾナにあるんですけど、暑いので遺体が施設に運ばれてきた時点で腐敗していたりとか、組織の杜撰な体制について、書かれています。

丸山　一応ちゃんと身体は保存されていて、いつか生き返らせますよ、という名目で運営しているんですよね。

ナオキマン　そうです。もっとも、身体全身を保存しなくてもいいようで、頭だけを保存する人も多いらしいですね。ようは脳が残っていれば人格としては蘇れる、という理屈です。費用は全身だと15万ドルかかるそうですが、頭だけなら8万ドルだそうです。なんですけど、その頭を切断するっていうのがとんでもない作業です。ノミとハンマーでガンガン打ち込んで切断するっていう、めちゃくちゃ悲惨な現場らしいんですよ。

丸山　きついですね……。

SFでは人間を冬眠状態にして老化を防ぐ技術として、コールドスリープが描かれてきた。アルコー延命財団の場合は、死後の人間を冷凍保存するサービスを提供している

ナオキマン　他にもこの財団をめぐって、胡散臭い事件っていうのがいくつか起きています。有名なところで言うと、1987年に起きたドーラ・ケント事件ですね。ソール・ケントという人が、危篤状態の母親ドーラ・ケントさんを病院から財団に運び出したんです。で、頭部だけを冷凍保存して、胴体を火葬しようとしたんですけど、死亡診断書がないからという理由で火葬の許可が下りなかったんです。

丸山　死亡診断書がなかった？　医者がいなかったということですか？

ナオキマン　死ぬ直前に息子が無理やり連れ出して財団に持っていったので、医師が死亡の瞬間に立ち会っていなかったんですよ。

丸山　なるほど。

ナオキマン　衛生局とソールさんの間で一悶着ありましたが、結局は遺体を検死しようということになりました。そしたらドーラさんの身体から、バルビツール酸という睡眠薬が検出されたんです。

丸山　息子が殺害した可能性が……？

ナオキマン　息子なのか財団なのかわかりませんが、事件性があるってことになりますよね。じゃあ頭部も検死しようという話になりましたが、財団は故人の遺志を理由に拒否します。で、警察が財団に乗り込んで調査したんですが、なんとドーラさんの頭部は発見されなかったんですよ。

丸山　え⁉

ナオキマン　ただ、アリゾナでは死体を解体すること自体は罪じゃないんですよね。それにドーラさんの生前の意思を尊重しようということで、裁判所は警察・検察に捜査を禁じます。結局、殺人事件とするには証拠が不十分ということで、うやむやになりました。だからアルコー延命財団は今も存続しています。

丸山　でも頭部がなくなったって、何をしてるんですかね？　売れるようなものでもないですよね。

ナオキマン　そこはわからないんですが、例えばドーラさんの場合は息子が火葬を希望したのでこのような流れになりましたが、そうじゃない場合もあるわけです。そこで身体のほうを手に入れるために頭部だけの保存というのをやっているんじゃないかとか、いろんな噂がされていますね。

丸山　延命とか復活っていうのは、古代エジプトのミイラの時代から、人類が追い求めているものですからね。キリスト教でも、神が遺体を復活させると説きますし。信仰やロマンを求めて、死体に対してお金を払っているなら悪いことじゃないと思うんですけど、そんな杜撰な管理をされてるっていうのは嫌ですよね。

生命倫理問題

ナオキマン　延命や復活を人類がずっと求めている、というのは確かにそうだと思います。過去の話ではなく、現在進行形でもいろいろな試みがなされていますよ。

丸山　アメリカ以外だとどんな例がありますか？

ナオキマン　2022年に中国の山東省で、銀豊生物工学グループというのができています。

ここも冷凍保存をやるらしいんですよ。アルコー延命財団でリーダーをやっていた人間を引き抜いて準備を整えていて、希望者もたくさんいると。ただ、これもオカルト臭がするとは言われてますね。本当に生き返るかもわからない試みですから、ある意味それを信じる一つの宗教のようになっているというか。そもそも倫理的に許されるのかという議論もあります し。

丸山　生命倫理の話で言うと、クローン技術も問題視されていますよね。クローン羊のドリーが生まれてからもう30年くらい経って、ビジネスとしてクローン技術が使われるようになっています。２００６年には韓国で、死んだ愛犬の遺伝子からクローン犬をつくる会社ができていますし、２０１７年には中国の会社も、クローン犬を誕生させました。世界中に利用者がいるようですが、当然、命を金で買っているという激しい批判もあります。でも、ビジネスとして成立するなら、ペットだけでなく人間のクローンもつくりたい、と思う人が出てきてもおかしくはないですよね。

ナオキマン　一応、人間のクローンを研究してはいけない、というようなルールがありましたよね。

丸山　そうですね。法律で禁止している国や、当局が禁止措置を出している国などがありま

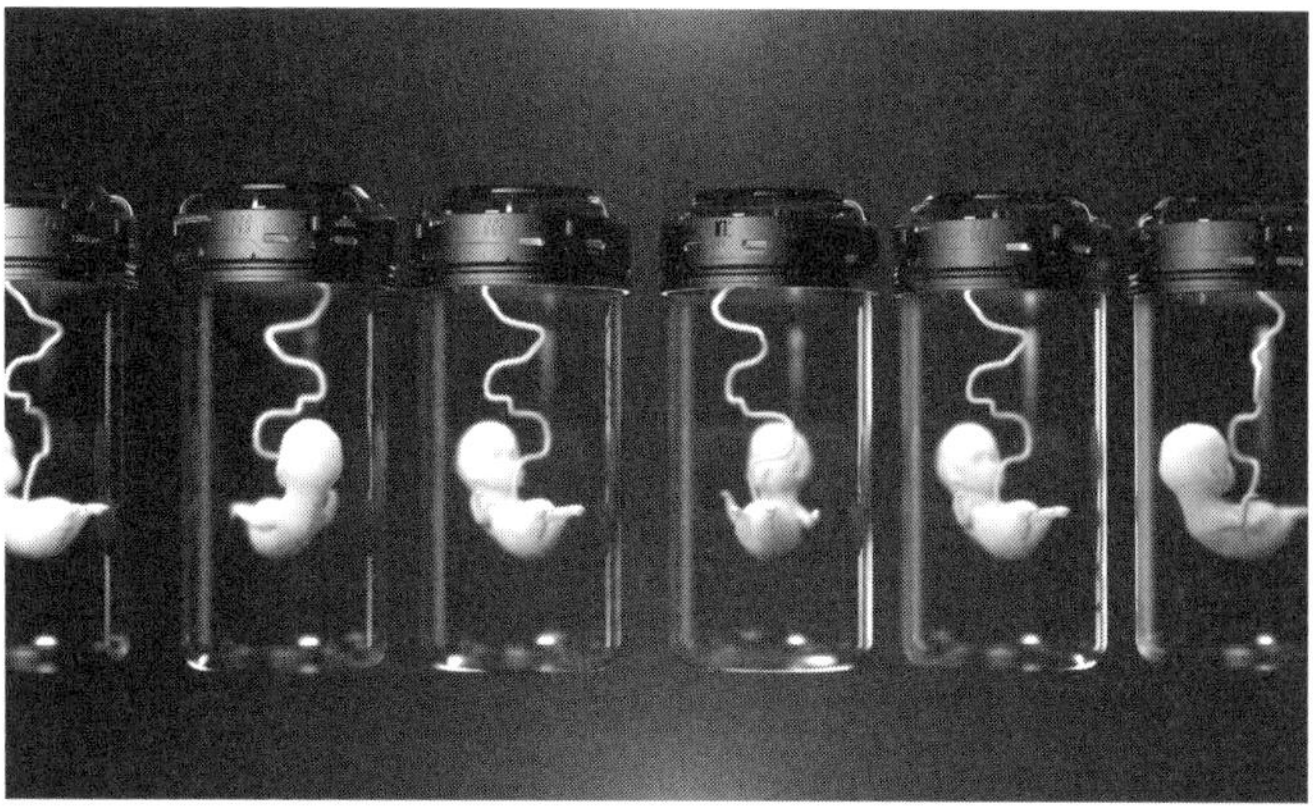

羊や牛、豚、犬、猫、猿など、多くのクローン生物が生み出されてきたが、人間のクローン研究は世界的に禁じられている

す。日本では2001年に、クローン規制法が施行されました。ただ中国とかは無視して研究してても おかしくないんじゃないかという気はしちゃいます。

ナオキマン　遺伝子操作に関する研究なら、中国は先進国ですしね。特にクリスパーという、簡単に言うとゲノム編集技術において、中国にはレベルの高い研究者が揃っているようです。クリスパーは21世紀に入って生まれた新しい技術ですが、DNAを高い精度で書き換えることができるということで、ビジネス的にも非常に注目されています。

丸山　数年前から話題になっていますね。開発した研究者は、2020年にノーベル化学賞を受賞しました。

ナオキマン　これを使って双子の受精卵の遺伝子を操作して、父親由来のHIV耐性を持たせることに成功したという研究が、中国で出てます。これが進めば瞳の色を変えるといった、デザイナーベビーの誕生につながるかもしれませんよね。それができるなら、クローンだって絵空事じゃないような気はします。

ヤクザが自殺を装う手口

ナオキマン　日本のケースについても、お聞きしたいことがあります。日本で不可解な死と言えば、ヤクザがらみのケースが結構あると思うのですが、僕が気になっているのは、ヤクザは他殺を自殺に装うのか、ということです。陰謀論的にはＣＩＡがそういうことをしていると言われたりしますが、ヤクザの場合はどうなんでしょう？

丸山　まず、死体を出すか出さないかから、ヤクザは考えます。死体を出すということは、ある種のアピールなんです。

ナオキマン　見せしめということでしょうか。

丸山　見せしめの場合もあります。死体を出すにしても、明確な自殺と見せかけるのか、不審死なのか、事故っぽい出し方にするかなど、どう出すかを考える。やり方はもう無限にあ

滋賀県の琵琶湖。裏社会の人間が死体を捨てるために利用することも

るわけです。なのでその死体の死因に近づきたいなら、やり方よりも、どういう目的でこの死体になったのかと考えたほうが、近道かもしれません。

ナオキマン　闇が深いですね……。死体の処理ということ、大阪の道頓堀に死体が流されるって噂を聞いたことがあります。これは本当でしょうか？

丸山　いえ、西日本だと道頓堀よりも、琵琶湖が利用されることが多いです。

ナオキマン　琵琶湖なんですね、へえ。どんなメリットがあるんですか？

丸山　湖なので水流の流れもなくて、発見される危険性が少ないんです。銅線を巻き付けて死体を琵琶湖に沈めると、内側から魚が食べてくれて完結します。あとは比叡山に埋めるって話も聞きますね。

ナオキマン　死体を残さないと決めたら、そういうふうに処理するんですね。

丸山　そうです。部屋の中で解体する場合もありますよ。映画やドラマだと薬品で洗ってルミノール反応を消そうとしたりするんですけど、そんなことしても全然消えないらしいんです。ではどうするかというと、目の細かいヤスリをかけて、地道に削っていく。

ナオキマン　そんなノウハウがあるんですね。そこまでやられたら、確かに警察も動きようがない。

丸山　具体的なノウハウを聞くと、なるほどと思わされますよ。例えばあるヤクザは、山に死体を埋めに行くときは、ストーリーを入念につくり込むと言っていました。

ナオキマン　ストーリー？

丸山　帰りに警察に出くわす可能性もあるわけですよね。だからなんで山に行ってるのかを説明できるように、ストーリーを用意しておくんです。例えばバーベキューに行くというストーリーを決めたら、ちゃんとバーベキューセットを持参して、実際にバーベキューをして帰るらしいです。

ナオキマン　もう完全犯罪ですね。

丸山　それくらい本気でやるんですよ。

裏社会の殺人事件

ナオキマン　ヤクザが警察と取引して殺人をもみ消す、ということはあるんですか？

丸山　そういう取引はありませんが、そもそもヤクザ系の事件って、犯人を逮捕しづらいんです。逮捕できないと検挙率が下がるので、警察は事件化したくない。だから自殺として処理することは結構あります。

ナオキマン　不審死があったときってことですよね。

丸山　そうです。事件性がないということにすれば、検挙率には響かないので。僕が知っている例だと、西日本で冷蔵庫からどんどん死体が出てくるって事件があったのですが、警察は全部自殺ってことにするんですよ。

ナオキマン　そんなわけないですよね。

丸山　しかも、出てくる死体はヤクザもんとか身元不明の人ばっかり。独自に調べたりしてたら警察から「この件には触れないでください」と言われて。あとからわかったんですけど、実はとあるパチンコ屋とヤクザの抗争が水面下で起きていて、その争いで出た死体だったんです。

ナオキマン　警察は抗争が起きていたことをわかっていたんですか？

丸山　もちろんです。ちなみになんでパチンコ屋がヤクザと戦えるかっていうと、裏で北朝鮮とつながっていて、工作員が送られてきてたんですよね。だから身元不明の死体が大量に出た。

ナオキマン　日本のヤクザが間接的に北朝鮮とやりあってたんですね。

丸山　そうです。警察はそんな抗争に触れたくない。だから死体はすべて自殺ということにするしかないんですよ。

富士の樹海

丸山　近い話で言うと、富士の樹海の死体なんかもそうですよね。よくユーチューバーが樹海に行くじゃないですか。

ナオキマン　一時期は流行りましたが、最近も行っている人がいるんですか？

丸山　5年くらい前にローガン・ポールっていうユーチューバーが死体の動画を投稿して炎上した事件がありましたけど、あそこからまた世代が一周したというか、新しいユーチュー

自殺の名所として知られる富士の樹海。富士山の北西に位置する。YouTubeの影響もあり、近年は外国人も注目するスポット

バーとか、外国人観光客なんかが結構樹海に行ってるんです。彼らは死体を見つけるんですけど、あまりにも通報数が多いから警察がキレて「次通報したらおまえを逮捕するから」って言ったという話まであります。

ナオキマン　はは（笑）。やっぱり警察としては面倒なんですかね？

丸山　あまりにも件数が多いから、雑になってしまうんですよ。樹海に詳しい人から、こんな話を聞いたことがあります。一見すると首吊り自殺の死体だけど、首にかかったロープの結び目を見ると、どう考えても一人じゃ結べない形だったそうです。見る人が見たら絶対に殺人だとわかる。だからさすがに警察に通報したら、駆けつけた警察がそれを見て「自殺ですね！」って言ったそうです。

ナオキマン　とりあえず死体は全部自殺ってことにしちゃうんですね。

丸山　警察からすれば、そのあとも大変なんです。通報されたら運ばなきゃいけないじゃないですか。肉がついた状態の死体だと、一人を運ぶのに四人は必要です。だから正義感を出して通報したりすると、警察はめちゃくちゃ嫌な顔をしますよ。

ナオキマン　警察がうんざりするってことは、樹海の自殺者は増えているんですかね？

丸山　増えていると思いますよ。いろんなメディアで樹海のことが扱われた結果か、樹海で自殺するのがステータスみたいになっちゃっているから。でも、自殺者が増えてるってことは、殺された人を置いておくのにも、ちょうどいいってことになりますよね。

ナオキマン　確かに、何やってもほぼほぼ問題にならない。自殺として扱うしかないっていう。それってもう、殺人が合法化されてるようなもんじゃないですか。

丸山　そうなんですよ。ちなみに、そうやって自殺と判断される遺体をつくり出す人のことを、業界用語で「クリエイター」って言ったりします。

ナオキマン　すごい業界ですね。まあ、呼び名だけなら僕らと同じですが……。

丸山　遺体から財布を持っていく人たちは、「サルベイジャー」って言われます。

ナオキマン　へえ、他にも呼び名はあるんですか？

丸山　あとは「コレクター」といって、自殺遺体から指など、一部のパーツを持って帰る人もいます。

ナオキマン　いろいろいるんですね……。

丸山　一方で、富士樹海で生きている人と会うっていうのは、怖いことなんです。どういう目的でそこに行っている人かわからないから。

ナオキマン　樹海で人に会うことって結構あるんですか？

丸山　そこそこあるんじゃないですかね。僕は直接会ったことはないんですけど、明らかにさっきまで人がいたような、暖かいテントを見かけたことはあります。

ナオキマン　ゴンザレスさんは樹海によく行かれてるんですか？

丸山　知り合いに、よく行く人が何人かいるんです。一人はもう20年くらい樹海に通っていて、死体があった場所にGPSで点を打つってことをずっとしてるんです。そうすると傾向が見えてくるんですって。

ナオキマン　時期によって変化があるんですか？

丸山　そうです。5月病を患って病んでいく人が多いからか、6月とか7月が増えるらしいです。でも夏だから、すぐに腐敗するんだとか。
ナオキマン　生々しいですね。
丸山　もう一つ多いのが、12月から1月。年末の何かしらの支払いができなくて自殺するようなケースです。この時期は外が寒いので、遺体はフリーズドライのようになってしまう。首吊りだったら首がキリンみたいに伸びるらしいんですよ。知人はそういう変化を「死体を育てる」って言ってました。
ナオキマン　どういう気持ちでそれをやってるんですかね、その人は……。
丸山　これだけの、ある種自殺の名所みたいになっているところは、世界でもあまりないんじゃないですかね。
ナオキマン　そうだと思います。僕は海外のユーチューバーの知り合いも多いですけど、タイトルやサムネイルに「樹海」って入れるだけで、再生数が伸びるって言います。
丸山　海外の人って、どういうニュアンスで樹海を扱うんですか？　心霊スポット的な？
ナオキマン　両極端で、死体が転がる怖い場所っていう伝え方のものもあれば、結構美しく描いているやつもあります。
丸山　確かに、遺体はともかく、自然としてはきれいですもんね。

ナオキマン　そういえば、樹海は方位磁針が使えないから迷いやすいってよく言いますけど、遭難の危険はないんですか？

丸山　あれはほとんど嘘ですね。確かに一部にそういうスポットもあるんですけど、探さなきゃ巡り合わないくらい珍しいです。そもそも今はスマホのGPSも使えますから、方位磁針がなくても問題はないですよ。

統計の罠

ナオキマン　そう考えると、本当に表に出てこない死者とか遺体っていうのはすごく多いんでしょうね。

丸山　無限にあるでしょうね。日本の行方不明者数は、年間で8万人くらいいますから。アメリカはもっといるんじゃないですか？

ナオキマン　アメリカは60万人くらいです。

丸山　7倍以上ですか。すごいですね。人口の差は2倍ぐらいなのに。

ナオキマン　割と早く家に帰ったり見つかったりして、大部分は解決するみたいですけどね。

でもそのうちのどれくらいの人が亡くなっているんですかね？

丸山　気になりますね。正確な数はわかりませんけど、面白い話があります。２０１５年頃にメキシコの麻薬カルテルの取材をしたときの話です。メキシコでは当時、死者数がどんどん減っているというニュースが出ていたんです。

ナオキマン　治安がよくなっているということでしょうか？

丸山　表向きは、ですね。実際に統計を見てみると、確かに殺人事件の発生件数とかも減っているんです。でも、いくら調べても行方不明者数は出てこないんですよ。地元のジャーナリストに聞いてみたら「おまえいいところに目をつけるな」と。

ナオキマン　ああ、死者を行方不明者として処理しているということですね。

丸山　そういうことです。ちなみにそのジャーナリストは、「この国では正確な行方不明者数の統計っていうのは絶対に出ない」って言っていました。

ナオキマン　国や警察はわかっていて数字を公表していないと。

丸山　麻薬カルテルとの密約があるんじゃないか、と言う人もいます。実際のところはわかりませんが。

ナオキマン　確かに行方不明者なんて、数え出したらキリがないですもんね。

メキシコの首都メキシコシティ。観光地は比較的安全だが、スラム街など犯罪率の高いエリアもある

丸山　そういうことなんですよ。だから重要なのは「いなくなって当然の人にならない」ということです。

ナオキマン　先ほど触れた人間競馬の標的を避ける話にも通じますね。

丸山　例えばナオキマンさんが行方不明になったら話題になるし、必死に探す人もいますよね。そういう人は、そもそも狙いづらいんです。もちろん、知名度があればいいってわけではなくて、みんなが心配するかどうかが大事です。危ないのは、犯罪とか後ろめたいことをしていて、周りの人にもそういう人間だと思われている人。「あいつのことだから仕方ないよな」と思われてしまうから、事件があっても表に出てきづらい。こういう構造は裏社会ではよくあります。

ナオキマン　何かあったときに警察が捜査してくれ

るような人でいよう、ってことですね。

丸山　そうです。少なくとも日本の警察っていうのは、世論が要求すれば捜査せざるを得ないですから。

メディアの闇

丸山　ただ、ターゲットに対して世論が同情的にならないよう、メディアを利用することはありますよ。あの人にはこんな特殊な趣味がありました、という情報を流して嫌われ者にしたり。

ナオキマン　ああ、そういうニュースはありますね。中には情報操作が含まれるということですか。

丸山　全部が全部ではないですが、情報操作もあると思います。

ナオキマン　怖いですね。それは例えば、ヤクザなど裏社会の人間がお金を払って報道させる、ということなんですか？

丸山　そういう場合もあります。例えば大きく話題になるような殺人事件でも、とある週刊誌は「犯人もかわいそうなところがあった」というような擁護記事を載せる。そしたらその

テレビやネット、雑誌などのメディアを利用した情報操作は日本でも行われている

週刊誌とは別のライバル誌は、犯人を痛烈に批判する記事を載せる。こんなふうに両極端の情報が出てくることって、あるじゃないですか。

ナオキマン　ありますね。

丸山　そのすべてが、最初から描かれた絵だったりすることもあるんです。情報を錯綜させることで「なんかよくわからない事件だったね」という雰囲気に、世論を持っていくのが目的です。

ナオキマン　そうやって世論をつくる手があるんですね。そういえば、メディアと政治家が組んでいる、という陰謀論はよく聞きますね。メディア側が握っている情報をいつ出すか、取引を通じてタイミングを決めるというものです。こういうことって、実際にあるんですか？　例えばある政策が世論に反対されたときに、芸能人のスキャンダルを出してそっちに国民の目を向ける、とか。

丸山　僕はそういう陰謀論は否定的だったんですけど、いろいろ話を聞いていると、なくはないな、と思うようになりました。

ナオキマン　多くはないけど、あるにはあるんですね。

丸山　政治家には、秘書が何人かいます。秘書っていうのはある程度、記者とつながっているんですね。秘書からすれば、出されたくないニュースっていうのはあるわけです。そういう秘書と記者の間でのやりとりは、あると思います。ただ、政治家がメディアと組んで裏ですべてをコントロールしているというような陰謀論は、事実ではないと思いますよ。

ナオキマン　個人的な付き合いの延長、ということですね。

丸山　あと、大きなニュースではないですけど、メディア系の仕事をしている友人が週刊誌の報道を止めた、ということはありました。

ナオキマン　どんなニュースか聞いてもいいですか？

丸山　その友人のさらに友人の芸能人の熱愛報道です。「こんな情報があるんですけど○○さんと知り合いですよね」っていう連絡がきたみたいです。それで芸能人の方に意見を聞いたうえで、記者には「ちょっと今はまだ隠したいから記事にはしないでくれない？」と頼むわけです。

ナオキマン　結構ウェットな関係でできているんですね。

丸山　みたいですね。交換条件として、代わりにこの情報をあげるよ、という話をする。その後、1年くらい経って、芸能人側がもうそろそろ公表しようか、となったから、週刊誌が熱愛報道としてスクープしていました。

ナオキマン　熱愛報道という体だけど、本人たちの意思で発表しているようなものですね。

丸山　メディアも人間がやっていますから、誰かに頼まれれば心が動いて仕方ないかと判断することもあるよね、という話です。

ナオキマン　考えてみればそうですよね。普通の仕事でも、温情で弱みを隠すようなことはあるわけだし。それが政治の世界でもあり得る、と。

丸山　秘書がやる分には、政治家も知らないということにできますから。

芸能人のスキャンダル揉み消しの代償

丸山　メディアがらみで取引があるものとしては、政府の広告系もそうですね。例えば「薬物駄目、絶対」みたいなポスターがあるじゃないですか。

ナオキマン　よく見かけます。

丸山　ああいうのとか、自動車免許の更新のときのVTRとかに、芸能人が起用されていることがありますよね。そういうのに、実は無償で出演しているパターンがあるんです。それは何かしらの事件をもみ消したときに、「代わりにお願いね」と依頼されていると、聞いたことがあります。

ナオキマン　ええ、そうなんですか。これからそういうポスターなどを見かけたら、何かやらかしちゃったのかな、と思ってしまいそうです。

丸山　もちろん、すべてがすべてそうではないと思いますよ。あとは当然ですが、殺人のような重大事件なら、もみ消すことなんてできないですし。それに、やらかしたのが本人とは限らない可能性もあります。ある事務所のAさんが事件を起こしてもみ消したときに、代わりにBさんを出演させる、みたいな話もあります。

ナオキマン　事務所単位で動くこともあるんですね。

丸山　そうです。火消しをするのは事務所ですから。ベテラン芸能人で、事務所側から何か言いにくい人でも、やらかして事務所に後始末を頼むことがあります。そうなると立場が少し変わって、事務所の言うことをベテラン芸能人が聞くようになる、というケースは聞いたことがあります。

ナオキマン　なるほど。表に現れていなくとも、なんらかの代償を払っているんですね。

——THE DARK SIDE OF CHINA——

第3章

中国の闇

コロナは本当に中国の陰謀なのか？

ナオキマン　この章のテーマは、「中国の闇」です。まずはよく言われる「コロナウイルスが中国の陰謀である」、という都市伝説からお話しできればと思います。

丸山　これは本当によく聞きますし、いろいろなパターンがありますよね。明らかなガセネタなら僕も聞いたことがありますが、ナオキマンさんが注目するのはそんなレベルのものではない、ということですよね。

ナオキマン　そうです。キーパーソンは、郭文貴《かくぶんき》という中国出身の投資家です。元々天安門事件の際に学生側で活動していたという人らしいんです。

丸山　反共産党なわけですね。

ナオキマン　そうなんです。その後、不動産をはじめとした投資に大成功するんですが、2014年にアメリカに移ると、中国の政治家たちのスキャンダルを暴露しまくるようになるんですよ。その話が結構有名になって、2017年にアメリカの国営放送で郭文貴さんの暴露番組が組まれることになったんです。それが3時間の放送予定だったらしいんですが、実際には1時間しか放送されなかった。

丸山　よっぽどヤバいことを言ったからカットされたってことですか？

ナオキマン　そう言われています。放送された1時間については、そこまでの内容じゃなかったんですよね。中国共産党のとある政治家の腐敗した政治を非難する内容だったんです。中国国内で言ったならともかく、放送されたのはアメリカですからね。他国のちょっとした悪口じゃないですか。

丸山　アメリカの国営放送がカットする理由はないですね。

ナオキマン　だから問題はカットされた2時間のほうですよね。そこで話されたのが「13579《いちさんごななきゅう》作戦」についてだったと言われています。

中国出身の投資家・郭文貴（かくぶんき）（写真提供：ロイター＝共同）

丸山　13579作戦？　なんですかそれは？

ナオキマン　それぞれの数字には、次のような意味があると言われています。

1：一つの致命的な生物兵器（ウイルス）の開発
3：3年以内にそのウイルスを普及
5：5年続くように

7：ファイブ・アイズ＋インドと日本の7国にウイルスを撒く
9：流行から9ヶ月以内にワクチンを作る

これを実行する作戦、ということですね。

丸山　ファイブ・アイズというのはオーストラリア、カナダ、ニュージーランド、イギリス、アメリカの情報同盟ですよね。長く機密扱いでしたが、２０１０年になって機密指定が解除され、存在が公に認められました。

ナオキマン　そうです。このファイブ・アイズも連携した諜報機関を持っているという話もあったりしますがそれはさておき、ようは、これらの主要国に対してウイルスを撒くプロジェクトが中国にはあって、それに関する機密文書を郭文貴さんが持っていたそうなんです。そしてさっき言ったとおり、この放送は２０１７年。つまり……。

丸山　3年後は２０２０年。中国の武漢でコロナウイルスの最初の感染者が出たとされるのが２０１9年末、世界的にパンデミックとなったのが２０２０年のはじめですから、合致していますね。

ナオキマン　5年続くと考えると、２０２4年～２０２5年頃に収束ということになります。

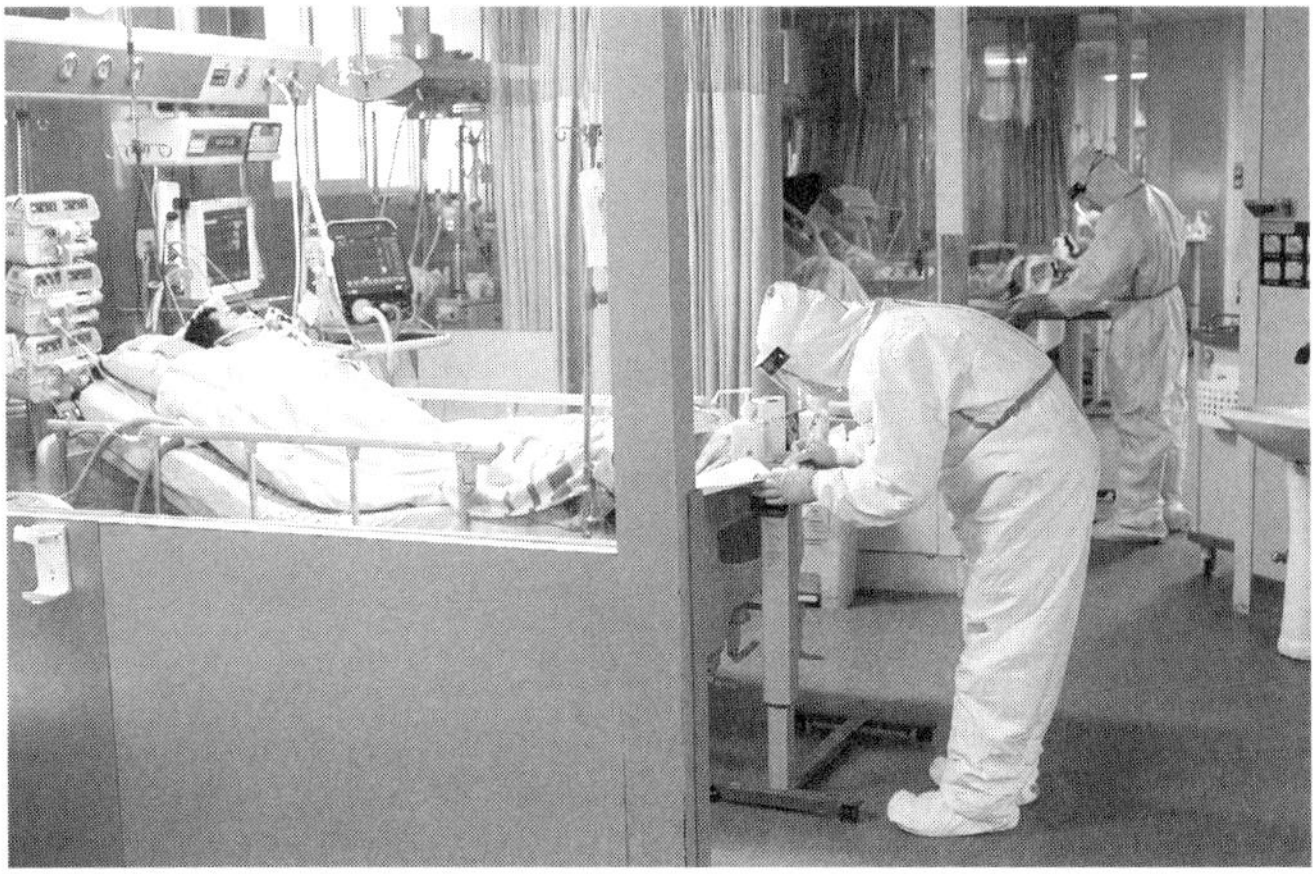

2020年1月、武漢市において、重症者隔離室で患者を治療する医療関係者。武漢は新型コロナウイルスが最初に発生したとされる（写真提供：新華社／共同通信イメージズ）

現在、世界各地において、都市機能や流通網はかなり回復していますし、医療体制も整備されて、日本では5類感染症に移行されています。だから2025年にコロナが収束するというのも的外れではないですよね。ワクチンに関しても、日本でワクチンの接種が始まったのが2021年のはじめです。「開発」という意味なら9ヶ月という数字もおおむね当てはまってると言っていい。偶然にしてはかなりできすぎていると思いませんか。

中国がつくりたい監視社会

丸山　でも、そうだとしたら中国の目的はなんなんでしょうか？　ワクチン開発で中国が大儲けしているというわけでもないですよね。中国産のワクチンは効果が疑問視されて、中国内外で不人気でしたし。

ナオキマン　丸山さん、中国が今すごい監視社会なのはご存知ですよね？

丸山　監視カメラが街中にありますよね。それに屋内にも相当数のカメラがあると言われています。外交関係の仕事をしている友人が中国に住んでいた頃、監視カメラがありそうなところを探して、カメラの向こうの誰かに対して話しかける遊びを延々としていたら、ある日「黙れ」って電話がきたらしいです。

ナオキマン　すごい人ですね（笑）。でもそうなんですよ、カメラは屋内外、至るところにあります。２０２１年の段階で、国内にある監視カメラが5億７０００万台、現在は6億台以上あると言われてます。

丸山　ははは、すごいなそれは。

ナオキマン　そんな莫大なカメラが、「天網《てんもう》」という監視システムにつながってるんです。このシステムは都市伝説ではなく、実際に存在するものです。そしてその精度が凄まじい。中国の人口14億人の顔を1秒で識別できるとされています。しかも中国って、WeChat《ウィーチャット》っていうアプリで光熱費とかもすべて電子決済できるんですよね。僕は知らなかったんですけど。

丸山　お賽銭《さいせん》すらできますよ。中国はもうほとんど現金を使わなくなってますね。

人工知能による顔認証システムと連動したメガネ型情報端末を使用する中国の鄭州市の警官（写真提供：AFP＝時事）

ナオキマン　お賽銭もなんですか、すごいな。つまりすべて履歴が残るわけですよね。そのデータが紐づいていて、警察官がかけているスマートグラスなんかは、目の前の人の顔を見ただけでそういったデータが見られるようになっているみたいです。中国の公安部は音声とか指紋、虹彩、DNAをはじめとした生体認証のデータベースも構築していると言われています。

丸山　アニメの世界みたいですね。でも、それができるのが中国の怖いところだと思います。欧米流の人権意識や法概念がないから、人間をデータ化するのにためらいがない。それに、そういう監視システムをつくろうとしてる国って他にもあるんですけど、なかなかうまくいかないんですよね。例えば中南米の犯罪の多い国でそれをやろうとしたら、犯罪が多すぎてさばき切れなくて破綻したという話があったりします。中国は中南米よりは治安がいいですし、人が多い分、優秀な人が出てきますから、管理システムの質は高い。

ナオキマン　かなり厳しく管理していて、共産党の悪口を言ってたら、1時間後には軍の車が来るって話です。

丸山　でもそういう取り締まりの仕方って昔からあって、中国の体質ですね。20年くらい前に中国に行って、自分でホテルをとったんですけど、公安が来て「こっちのホテルに泊まってくれ」って、彼らが用意したホテルに移動させられたことがあります。ようはそっちのほうが監視しやすいってことです。今はテクノロジーでそれができるから、昔ほど露骨ではなくなっているかもしれませんが、その分巧妙化して、しかも気づかないうちに大事な情報を抜かれている可能性がある。

ナオキマン　そういう監視社会、その仕組みを世界中に広めたいというのが中国の野望なんじゃないかと言われていますね。

外出しなくなれば監視網が一気に拡大

北京の天安門広場。複数の監視カメラが見える（ollytheoutlier/shutterstock.com）

丸山　それで、中国の監視網と新型コロナウイルスに、どういう関係があるのでしょうか？

ナオキマン　監視社会をつくるには、今のWeChatの話みたいに、すべてをネットワークに通す必要がありますよね？

丸山　あ、コロナで外に出られなくなれば……。

ナオキマン　そうなんです。日本でもネットショッピングの利用が2020年3月以降に急増してますし、会社の仕事や会議も一気にオンライン化されましたよね。ここまで一気に生活様式が変わることって、そうそうないじゃないですか。あとは国から国への人の移動です。コロナ中はどこの国も海外への渡航が制限されていましたから、誰がどこの国に移動したみたいな話を監視するのも容易なわけです。

丸山　なるほどね、中国国内の監視網を強化するために、コロナウイルスを開発したと。でも、コロナによって中国国内だけでなく、世界的に監視社会の土壌ができたとも言えますよね。中国は他国のことも監視するつもりだということでしょうか?

ナオキマン　そういう陰謀論もありますね。例えば先ほど話した監視システムの天網のデータセンターがある省に、2021年、アップルのアイクラウドのデータセンターが移転しているんです。

丸山　そのアップルのデータセンターから、情報が中国政府に流れてると?

ナオキマン　都市伝説界隈には、そう考える人もいます。表向きは「中国人」の個人情報についてやりとりしているとされてますが、実際はどこまでかわからないですよね。あとはイーロン・マスクが代表を務めるテスラの中国法人も同じ省に設立されていて、ドライブレコーダーの記録なんかが流れているんじゃないかという話もあります。

丸山　中国のそういう考えというのは、なんとなく納得がいきますよね。中国という国は始皇帝の時代からずっと、儒教と漢民族の文化を尊んで、世界を中華思想に染め上げたいと考えてきましたから。でも、アップルやテスラが中国政府に協力する理由はあるんですかね?

ナオキマン　やっぱり金がらみ、なのではないでしょうか。アメリカの大企業はもちろん、政治家にも、中国マネーが大量に流れていると言われています。特にバイデン政権はもろに中国寄りで、司法省とかもすべて中国の息がかかっているとか。具体的な例を出すと、FTXってご存知ですか？

丸山　仮想通貨の取引所ですよね。一時期は100万人以上が利用していて、取引高は3番目に大きかったけど、2022年に経営破綻をして、話題になりました。

ナオキマン　そうです。FTXの創業者にも、中国マネーの息がかかっていると言われています。アメリカ当局はFTX創業者に訴訟を起こすことになるのですが、そもそも裁判をするかどうかというのを、中国側にすべて相談したうえで決めていたと言われています。ちなみに、判事は中国系の人でした。

丸山　全部茶番だったってことだ。

ナオキマン　中国のIT企業、ファーウェイのCFOがアメリカから詐欺罪で起訴された事件がありましたが、そのときの判事もFTXの裁判のときと同じ人でした。ファーウェイのCFOはやはり何事もなく、釈放されています。

丸山　バイデン政権が中国とどっぷりという都市伝説は、よく聞きます。さっきの新型コロナウイルスに関する中国の陰謀が真実だった場合、アメリカは中国に協力して、世界の監視網を強化するのに一枚噛もうとしている、ということになるんですかね？

ナオキマン　うーん、というよりは純粋にウィンウィンの関係を築いている、ということなんだと思います。先ほども言ったとおり、アメリカの司法省であったりウォール・ストリートであったりというところの人たちは、中国マネーによる援助を受けていますから。例えば旅行に行くとなっても全部中国共産党からお金が出てくる。アメリカの経営者が中国政府高官に賄賂を送って見返りを受ける、ということもあるでしょう。都合がいいから協力している、というところだと思います。本質的にはお互いに、相手をどう利用してやるか、と考えているんじゃないですかね。

丸山　なるほど。そのほうが納得しやすいですね。

民主党のジョー・バイデン。中国と関係が深いという都市伝説は、よく語られる

デジタルマフィアに脅かされる中国

丸山　確かに中国の監視社会はすごいですけど、一方で話を聞いていると実は結構しょぼいというか、杜撰な部分もあるようです。

ナオキマン　と言うと？

丸山　中国に詳しい安田峰俊さんというジャーナリストに聞いた話ですが、今中国ではデジタルマフィアと呼ばれる人々がいて、彼らが習近平をはじめとした中国の高官たちの個人情報をリークしたりするのが問題となっているそうなんですよ。日本で言うところのマイナンバーのようなものがあるんですが、そういった重要な情報が漏れていると。

ナオキマン　日本のマイナンバーはあまり機能していませんが、それこそ中国だとあらゆる情報がそこに紐づいていますよね。

丸山　そうです。口座番号や携帯番号、住所から本籍地、家族の情報まですべて紐づいているため、それらが全部暴露されたそうです。

ナオキマン　デジタルマフィア、とおっしゃいましたがどんな人たちなのでしょうか？　共産党相手にそんなことをしては、ただごとでは済まされないような気がしますが……。

丸山　マフィア、とは言っていますが実際のマフィアや日本のヤクザのような組織ではなく、インターネット上にいる個人の集まりです。日本で言うなら15年くらい前のいわゆる「2

ちゃんねらー」みたいな存在でしょうか。組織としてまとまっているわけではないけれど、なんとなくの連帯感や思想の共有はある人たちのようです。

ナオキマン　ということはそれでお金を稼ぐ闇ビジネスのような話ではなく、ある種の冗談というか、その場のノリみたいな感じでやっているんですか？

習近平国家主席。近年は政権高官の個人情報がデジタルマフィアによってリークされている

丸山　そういう人たちが半分、残りの半分は反共産党的な、政治思想からきているようです。

ナオキマン　でもそんな一般の人たちが、政府高官の重要な情報を知ることができるんですね。

丸山　そう、そこが杜撰と言ったところです。先ほどマイナンバーのようなもの、と言いましたが日本のマイナンバーはランダムな12桁の数字ですよね。中国はそれが18桁あるんですが、かなり法則性があるんですよ。

ナオキマン　予測できてしまうということですか？

丸山　そうなんです。最初の6桁は地域番号といって、日本で言えば郵便番号みたいに地域で決まっている数字です。

ナオキマン　じゃあ有名な人はある程度わかってしまいますね。習近平なら少なくとも北京のどこかでしょうし。

丸山　しかも次の8桁は生年月日です。習近平なら1953年6月15日生まれというのは誰でも知っています。

ナオキマン　っていうことはランダム性があるのは残りの4桁だけだから、それを予測したらマイナンバーみたいな重要な情報がわかってしまう……？

丸山　そういうことです。しかも残り4桁のうちの1桁は、性別で偶数か奇数かに分けられています。したがって10の3乗×5のパターンしかないんです。倉庫の鍵とかでよくある4桁のダイヤル錠より簡単ですね。天網の監視システムは確かにすごいですけど、その根幹となる数字の設定がこれなのはあまりにも間抜けというか、杜撰ですよね。

ナオキマン　それは驚きですね。デジタルマフィアと聞くとすごいハッカーがいるのかなと思いましたが、正直ハッキングというほどですらない。

丸山　そうなんです。実際、このリークのきっかけはテンセントのゲームアプリだったそうです。

ナオキマン　テンセントというと先ほども話に出てきたWeChat《ウィーチャット》（微信《ウェイシン》）などのアプリを開発している会社ですよね。

丸山　そうです。WeChatをはじめテンセントのアプリは、すべて中国の公安部にデータが流されています。これは陰謀論などではなく、公然の事実なんですね。例えばテンセントのアプリをダウンロードして最初に起動するときにそのマイナンバーの数字を入れる。例えば丸山ゴンザレスという名前の人ならその数字を入れるだけで「ようこそ、丸○○○○○スさん」みたいに一部が伏せられているものの本名と紐づく仕組みです。

ナオキマン　その情報が公安部に流されることで、あらゆる行動が監視できる仕組みになっているわけですが、それが裏目に出たと。

丸山　そうです。予想するのは4桁の数字ですから、あとは人海戦術なのかプログラムでやったのかわかりませんが、とにかく数字を入れていけばどこかで「ようこそ、習○平さん」みたいに出てくるわけです。じゃあこの数字が当たりだな、と確認できる。

◎中国の公民身分番号の構成

18	17	16	15	14	13	12	11	10	9	8	7	6	5	4	3	2	1
6桁						8桁								3桁			1桁
住所コード(地域番号)						生年月日								順序番号			チェックディジット
戸籍の登録番号。行政区画ごとにふりわけ						西暦から始まる生年月日								男性奇数 女性偶数			前の17桁を元に算出
誰でも調べることが可能						**誰でも調べることが可能**								**末尾はある程度絞り込み可**			

➡ **習近平の公民身分番号18桁のうち、14桁はほぼ誰でもわかる**

残り4桁のうち、4、3、1桁目は各10通り(0〜9)、2桁目は5通り(奇数)なので、習近平の番号は10×10×10×5＝5000通りに絞り込める

◎公民身分番号の確認方法

①テンセントのウェブサービスに新規登録して確認したい番号を入力(テンセントは公安部とデータが直結)

↓

②テンセントが公安の情報を元に登録状況を確認

↓

③「丸○○○○○ス」のように名前の一部が表示される

↓

④知りたい番号と合致していれば紐づけられた個人情報を調査、違っていれば別番号で再びチェック、という作業を繰り返す

警察が小遣い稼ぎのために情報をリーク

ナオキマン　本当に素人でもやろうとすればできそうですね。ただ、その数字にさまざまな情報が紐づいているとはいっても、口座番号や携帯番号が検索して出てくるわけではないですよね？　もちろん公安の内部ではそういったデータベースがあるでしょうけど、そこには一般の人はアクセスできないような気がしますが。

丸山　そこがもう一つの杜撰な部分です。結論から言うと、そのマイナンバーに紐づくさまざまな情報を警察がリークしてしまったんです。先ほどのナオキマンさんの話にもありましたが、警察の持っている情報端末からは、目の前の人の情報がすべて見られるようになっています。犯罪者などを探すときに使うわけですね。ただ、その警察に「この番号に紐づいている情報をくれ」というと、スクリーンショットのような形で売ってくれる警察官が結構な数いるようなんですよ。

ナオキマン　警察というと言ってみれば政府側の組織ですよね。ある種のクーデターのような、反共産党思想のある警察官がやっているのですか？

丸山　いえ、単純にお金目的ですね。ご存知かもしれませんが、中国の中でも上海などはもう日本よりも物価が高くなっています。しかしそういったエリアでも警察官の給料は手取りで十数万円。日本の新卒社員が、港区以上の物価で生活するようなものですよ。

ナオキマン　そう考えるとお金に目が眩む人が出てくるのは自然ですね。

丸山　実際にはデジタルマフィアの人々が直接警察とやりとりするのではなく、間に仲介業者がいるという話です。数千円から高くても数万円くらい払って「この番号の人の情報をくれ」と言えば、その仲介業者の息のかかった警察官から簡単に情報を仕入れられるという。

テンセント本社ビル。WeChatなどテンセントのアプリが、政府高官の個人情報を調べるのに利用された

ナオキマン　そういうシステムができ上がっているということからも、警察の腐敗が窺えますね。一人や二人の仕業であればそうはなりませんから。

丸山　さすがに習近平をはじめとした政府高官たちに関しては、なんらかの対策を講じたようで最近はあまり過激な情報は出てこないようです。ただ、先ほど話した番号がわかりやすすぎるという問題は変わっていません。今から14億人分の数字を割り振り直すというのは現実的じゃないですから、もうどうしようもありませんよね。今後もこの脆弱性は問題になるかもしれません。

ロシアの監視体制

ナオキマン　監視の話で言うと、とある日本の大企業の社長の息子さんが中国へ行ったときの話です。プライベートで遊びに行っただけなんですが、ホテルに入るとベットにでかでかとその会社のロゴマークが飾ってあったんです。すごくないですか？

丸山　それはすごいですね。隠そうともしないというか。

ナオキマン　しかも自分が予約したホテルですよ。日本人が泊まるというだけで身辺をすべて調査するようになっているんですかね。

丸山　それくらいのことはしてもおかしくないですよね。

ナオキマン　そもそもなんのためにそんなことをするのか。おまえのこともすべて調べてい

ロシアの諜報機関であるロシア連邦保安庁（FSB）本部。以前はソ連のスパイ組織であるKGBが使用していた

るぞという脅し的な目的なんでしょうか？　監視したいだけならこっそりやればいいわけですから。

丸山　その可能性もありますし、もしかしたら歓迎のつもりなのかもしれません。ちょっと歓迎の仕方を間違っちゃってるけど（笑）。

ナオキマン　だとしたらだいぶ間違ってますね（笑）。

丸山　それは本当に単なる歓迎の可能性もあると思いますが、やはり海外の要人に対する監視というのはかなり厳しいですね。中国以外の国でも、知り合いの官僚が仕事でロシアに渡ったときの話で、まずそもそも心得として電話は100％盗聴されているし、常に監視されているつもりで行動しろと言われるそうです。

ナオキマン　もうそれが大前提なんですね。

丸山　その人はロシアで2回車にはねられました。暗殺未遂です。

ナオキマン　え、本当にそういう話があるんですね。

丸山　ちょうどそのとき、とある分野の関税についてロシアとの交渉が難航しているタイミングだったんです。知人はその交渉を担当していたんですが、ある日職場の日本領事館に向かう最中、領事館の目の前で車にはねられたと。

ナオキマン　単なる事故じゃないですよね。

丸山　普通じゃ事故なんて起きない見晴らしの良い道路だったそうですね。で、そのときはまだ責任ある仕事だからということで頑張って続けたらしいんですが、2回目が起きて心が折れて日本に戻ってきたみたいです。その2回目の詳細は僕にも話してくれません。

ナオキマン　そのひき逃げの犯人は捕まってないんですか？

丸山　「犯人」なんていないんですよ。そういうことです。

ナオキマン　関税の交渉って、強引な手を使うにしてももっと高度な政治的な駆け引きで勝負するイメージがありましたけど、ひき逃げなんていうパワープレイをとるんですね。

丸山　やっぱり暴力というのは人間が根本的な恐怖を感じるものですから、そこに訴えかけるのが効果的なのかもしれません。ヤクザと同じ理屈ですね。こういうのはロシアとの駆け引きではよくある話のようです。

豪華客船の食事会で出された乳児ゼリー

ナオキマン　話は変わるんですが、中国関連でグロテスクな話を聞いたんです。ゴンザレスさんは食人文化って詳しいですか？　人が人を食べるという。

丸山　世界中を取材していると、やはりどこの国にもそういった話はありますよね。中国でも、文化大革命の時代とかは普通にあったみたいです。広西《こうせい》チワン族自治区で粛清された300人近い人が、死後に臓器や性器を切り取られて食べられた、という記録があります。共産党がまとめた極秘資料を見た中国人作家が、取材をしてまとめた記録です。

ナオキマン　すごいですね。ゴンザレスさんは直接その文化を見たことはありますか。

丸山　僕が取材をした頃には見ることができませんでしたが、70年以上前に戦後の中国に行っていた知人いわく「市場で鳥をぶら下げて売っているように人間がカゴからぶら下がっていた」そうです。人間も取引材料の一つと考えるような文化はあるんですよね。

ナオキマン　なるほど。僕が聞いたのは現在の話です。とある芸人さんが中国の豪華客船

豪華客船は、著名人や富裕層、政治家らに対して権力を誇示する場として使われることもある

のようなものに招待されたそうなんです。乗ってみるとVIPルームのようなところに案内されて、そこで食事会に参加しました。最後にウエイトレスが、蓋のついためちゃくちゃ大きな皿を持ってきた。それを開けると、中にはゼリーにつつまれた乳児の遺体があったそうなんです……。その芸人さんは怖くなって、何も話さずその場をやり過ごして逃げてきたそうなんですが。

丸山　うわあ……それはインパクトがありますね。でも、中国はどんな目的があってそんな催しを開いたのでしょうか?

ナオキマン　芸人さんもよくわからず、紹介してくれた人に聞いたところ、中国が日本の著名人や政治家に対して権力を示すための場だったらしいんですよね。俺たちには人権なんて関係ないんだぞ、みたいなことを伝えているのかもしれません。

丸山　そもそも中国では胎児を食べる文化があったとされているので、それもあり得る話だと思いますね。世界的にみれば、人を食べるっていうのは、ある種の権力の象徴とされているんですよ。人を食べるってことは、究極の支配と言ってもいいかもしれません。それに健康にいいという考えもある。例えばアフリカやオセアニアの一部の地域では、相手を完全に支配するという発想が、カニバリズムや呪術につながっています。そういう考え方が大なり小なり裏の世界で脈々と受け継がれている、っていうのはあり得ると思います。

人肉が売られる理由

ナオキマン　さっきゴンザレスさんがそこらの市場で人間が売られていたというお話をされてましたけど、中国は広いですから、そういうのがいまだにあるというのも聞いたことがあります。例えば普通に道端にある露店で、人の排泄物から出る油を調理で使っているとか。

丸山　ええ……それは嫌な話ですね。まあ戦中の一時期には、人の髪を使った醤油とかは日本でも作られていたといわれますが。人間由来でも使えるものは使ってみようという感覚が、どこの国にもあるのかもしれません。

ナオキマン　人肉については、他の動物の肉と混ぜて売られているという話は聞きますね。

丸山　そういうのは先ほどの「権力を誇示する」というのとは目的が違うと思うんですが、なぜわざわざ人の肉を使うんでしょうか？

ナオキマン　わざわざ使うというよりは、大量に余るから使ってしまう、という話を聞いたことがあります。中国で大規模な事故が起きたときに、死者数の桁がすべて揃ってるって話、聞いたことありませんか？

丸山　聞いたことがあります。100人とか500人とか、キリのいい数字になっているのが作為的で怪しいという話ですね。

ナオキマン　そうです。あれって、中国の中で「〇〇人以上の死者が出たらその地区の担当者の首が飛ぶ」みたいなルールがあるらしいんですよ。

丸山　なるほど、それでその人数以内におさまるように記録をごまかしていると。中国には無数の共産党組織があって、各組織のトップは秩序維持を担っています。上の意に沿わなければすぐに処罰されますから、あり得ない話ではないですね。

ナオキマン　そうなんです。でもそうしたら、たくさん出た死体を隠さなきゃいけないですよね。だからそういう人肉を他の肉と混ぜて売るような業者に送られるらしいんですよ。処理しなきゃならないものだからめちゃくちゃ安いんですよね。少し前なら肉まんが日本円でいう数円くらいで売られているようなお店があって、そういうところは人肉を使ってたんじゃないか、と聞いたことがありますね。

丸山　そういえば1985年にマカオでも、人肉の肉まんが売られたのでは、という事件がありました。中華料理店の経営者らが殺されたのですが、犯人は遺体を隠ぺいするために、人肉で肉まんを作ったのではないかと、中国のマスコミが大きく報じていました。被疑者が拘留中に自殺したため、真相は不明ですが。

ナオキマン　案外、人肉の調理についてのノウハウが、中国にはあるのかもしれません。事実であれば怖いというか、気味が悪いですね。

—DANGEROUS DRUGS—

第4章

狂気のドラッグ

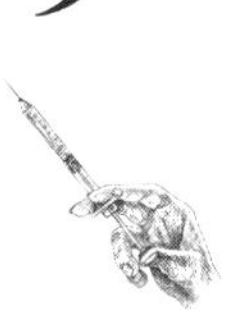

世界のヤバい科学実験

丸山　この章では、ドラッグをテーマにお話ししていきます。歴史を紐解くと、ドラッグを使ったヤバい人体実験っていうのは結構ありますよね。ナオキマンさんはそういうのも詳しいですか？

ナオキマン　ヤバいものだと、ＭＫウルトラっていう実験ですね。

丸山　ＭＫウルトラってナチスの？

ナオキマン　そうです。第二次世界大戦中にナチスがやっていたという実験を、１９５０年代にアメリカのＣＩＡが参考にして行ったとされている研究です。ドラッグとかを使って人間を洗脳できないか、自白剤を作れないか、といった内容で、ナチス出身の研究者を使って進めていたそうです。これが明るみに出たのは１９７５年で、ＣＩＡの内部ではなんとか証拠隠滅しようとしていたところ資料が流出してしまったということみたいですね。

丸山　詳細がわからない点もあるけど、都市伝説ではなく、実際に行われていた研究ということですね。

ナオキマン　はい。ネットフリックスで人気の『ストレンジャー・シングス』にも、ＭＫウルトラは設定として用いられています。

丸山　被験者にはどんな人が選ばれたのですか？

ナオキマン　元々は軍人とか医者とか関係者を対象に研究をしていました。しかし、そのうちもっとサンプル数が必要ということになった。そこで偽の広告を出して一般人を集めたというのですが、これが問題になりました。コカコーラが独自の睡眠薬を作るから治験に参加してくれる人を募集、みたいな広告を出したらしいですね。

丸山　それでどんな実験をしたんですか？

ナオキマン　本当にさまざまです。電気ショック療法から脳外科手術、致死化学物質を含む神経ガスとかそういったものと、薬物を組み合わせて使ったと言われています。「CIAが10キログラムのLSDを購入した」という当時の記録も残っています。

丸山　10キログラムって……普通の使用量はマイクログラム単位ですからね。それで考えたら何億回とかそういう量ですよ。当時は合法だっ

CIAの依頼を受けて人体実験計画MKウルトラに参加した精神科医ユーウェン・キャメロン

たと思いますけど、それにしたって信じられない量です。

ナオキマン　そうです。残っている記録では、18ヶ月連続でＬＳＤを投与とかって言われています。僕はドラッグについてはそこまで詳しくないんですけど、ＬＳＤってそんなに長く使っておかしくならないんですか？

丸山　たぶん常習してる人でも3日連続ぐらいのレベルですね。この実験のＬＳＤは、現代のアメリカ人が遊びに使うものとは、何から何まで違う気がします。完全にいかれちゃうと思います。

ナオキマン　それでこれ、恐ろしいのが日本でも実験してるんですよ。

丸山　え!?　どこかに特殊な施設をつくっていたということですか？

ナオキマン　普通に病院を使って、日本やイギリスでも行っていたという記録が残ってます。

丸山　その被験者たちはどうなったんですか？

ナオキマン　幻覚や悪夢といった症状が出たあと、最終的にほとんどの人は死んで、生きている人にも後遺症が出たと言われてます。

丸山　悲惨ですね。ＣＩＡとしては、収穫はあったんですか？

ナオキマン　結果的には、なんの成果も得られなかったということになっているんです。た

バージニア州ラングレーにあるCIA本部（出典：アメリカ議会図書館HP）

だ、都市伝説的にはそれは本当なのか、と。実際に洗脳する仕組みができていて、現在も使われているんじゃないかと言われています。例えば「中国の闇」の章でお話しした、郭文貴《かくぶんき》さんって覚えていますか。

丸山　新型コロナウイルスが中国の陰謀だという話を、アメリカで告発しようとしたという人ですね。

ナオキマン　そうです。あの人はあのあと、インターポールに逮捕されるんですよ。中国は彼を逮捕するためにわざわざインターポールの総裁を中国人にしたと言われています。それで詐欺みたいな難癖をつけて逮捕したんですね。で、家族も強制収容所に入れられたんですが、そこから出てきたときは完全に洗脳されきっていて別人になっていた、と言われているんです。

丸山　そういう技術がつくられたなら、極秘裏に使われていてもおかしくないですよね。

オウム真理教のＰＳＩヘッドギア

ナオキマン　そしてこの話がどこにつながるかというと、オウム真理教です。

丸山　そうですよね。当時オウムの事件が海外からめちゃくちゃ注目されていたのはそういう下地があったからかもしれないですね。

ナオキマン　僕は当時の記憶はほとんどないんですけど、どんな雰囲気だったのでしょうか？

丸山　海外に行くと、海外メディアはみんな「オウムは今どうなってるんだ」って聞いてきました。日本に来る海外メディアも多かった。すごい注目度でした。

ナオキマン　麻原彰晃はダライ・ラマに出資するなど、国内に限らず活動をしていましたしね。ヒトラーへの憧れがあった、なんて言われたりもします。ヒトラーがやった洗脳研究に興味を持ったとしても、おかしくはありません。

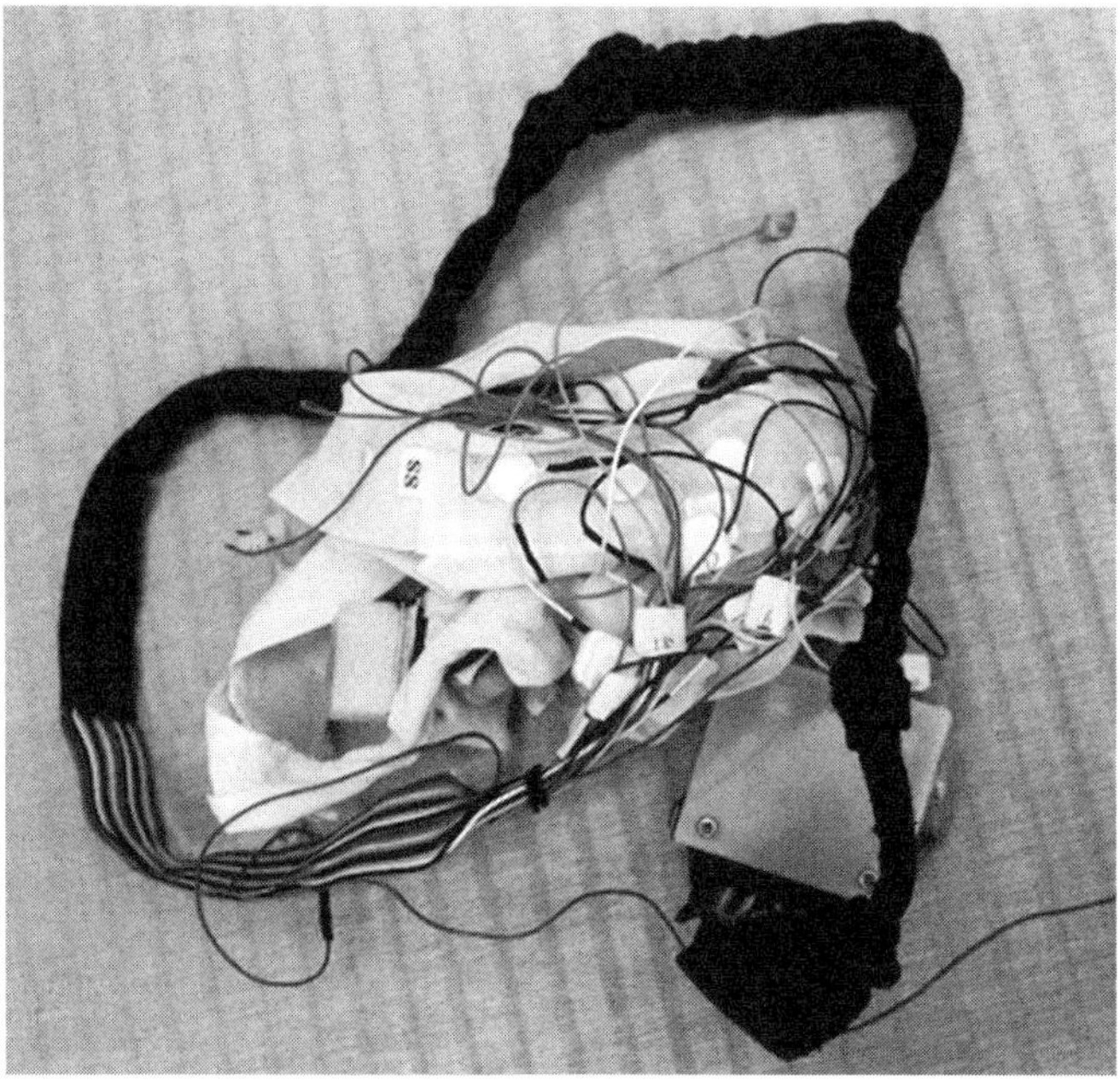

2023年にオウム真理教の後継団体Alephの施設で警察が発見したPSIヘッドギア。PSIは、Perfect Salvation Initiation（完全救済イニシエーション）の略。麻原彰晃の脳波データを注入するための装置として、信者が修行で使用していた（出典：公安調査庁HP）

丸山　ＭＫウルトラはナチス発祥でしたもんね。

ナオキマン　幹部の林郁夫っていう医師に勉強させるんですよね。ＰＳＩヘッドギアっていう電極がついてるヘッドギアが有名ですけど、これは利用者から金を集めるための道具で、たぶん洗脳には使われていない。そうではなくて、ＬＳＤとかの薬物を投与しまくって記憶を一回消しちゃう、ということをしていたらしいです。

丸山　なるほどなあ。そっちのほうが効果はありそう。

ナオキマン　一応、記憶を消したあとにあのヘッドギアで麻原彰晃の脳波を流すことで洗脳するって建前になってるそうです。本当かはわかりませんが、実際それで洗脳された子どもたちが「やはりヒトラーは正しかった」と言っているのが目撃された、なんて話を聞きます。ゴンザレスさんはオウムと薬物の関係について、何かご存知でしょうか？

丸山　まず、オウムがＬＳＤとか覚醒剤を作っていたというのはおそらく事実です。警察資料を見ても、教団がＬＳＤを製造していたと、はっきり書いてあります。警察は教団施設を捜索して、ＬＳＤや覚醒剤などを押収していますし。

ナオキマン　やっぱりそうなんですね。

丸山　それに、知り合いでオウム製のクスリを使ったことがあるという人もいました。あのオウムの梵字が刻まれていたらしいです。

ナオキマン　へえ。

丸山　めちゃくちゃ効き目は強かったっていう話ですね。で、オウムはエリートの人をたくさん勧誘していたんですが、そのときに人格を壊すために使っていたという話を聞いたことがあります。

ナオキマン　どのようにしてエリートたちを洗脳したのでしょう？

丸山　ＬＳＤは無味無臭なので、まず水に溶かして飲ませるんです。意識が変容してきた頃に、信者で囲んでわぁーっと人格否定のような言葉を浴びせかけるらしいです。本人は自分がクスリを飲んだと思っていないので、大混乱ですよね。完全にバッドトリップみたいな状態になって非常につらい。そこで満を持して麻原彰晃が登場して「あなたは大丈夫ですよ」と救いの手を差し伸べる。するとコロッと引っかかり、従順な信者になるそうです。

ナオキマン　すごいですね。ちなみに、「あのヘッドギアにすごい技術があるから洗脳できた」という都市伝説もあるにはありますが……。

丸山　それは関係ないと思いますね。単に薬物の力ってすごい、怖いものだっていう話です。

死に至るドラッグ「ニャオペ」

丸山　せっかくなので、世界の怖いドラッグについても、お話ししましょうか。

ナオキマン　気になります、お願いします。

丸山　昔、ロシアにクロコダイルっていう、ガソリン系の溶剤を使ったドラッグがあるって聞いたんです。最初は嘘でしょと思いましたよ。使ったら死ぬじゃん、と。ロシアには縁がなくて行くことができなかったんですけど、世界中を回っているうちに、どうやら死に至るドラッグはあるなと、気づき始めたんですよね。そういうドラッグって質が低い分、安く買うことができる。だから貧困層でも手を出しやすいんです。

ナオキマン　ＬＳＤを使いすぎて廃人化するのではなくて、もっと直接的な死を呼ぶわけですね。どんな国にあるんでしょうか？

丸山　最初に取材できたのは、南アフリカのニャオペっていうクスリです。中身はまあ質の悪いヘロインというか、オピオイド系のドラッグに殺鼠剤《さっそざい》を混ぜたようなものですね。

ナオキマン　殺鼠剤って毒じゃないですか!?　ヤバくないですか!?

丸山　ヤバいですよ。使っていたら死にますから。

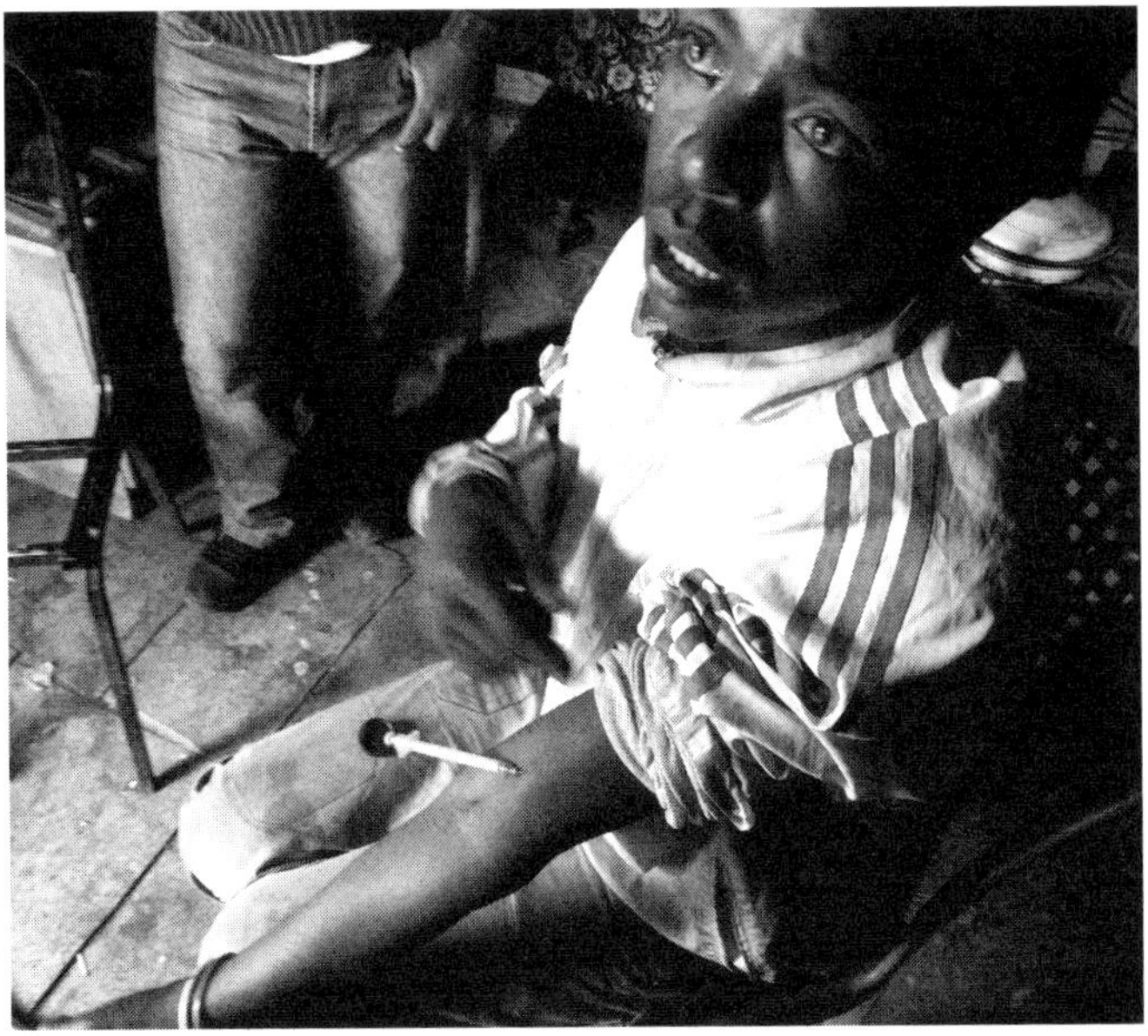

粉末状のニャオペを水に溶いて静脈に注射する男性（丸山ゴンザレス撮影）

写真のように、紙にニャオペを巻いて吸引する方法もある（小神野真弘撮影）

ナオキマン　それを使っている人たちは、使ったら死ぬ危ないものってわかっているんですか？

丸山　わかっています。そこが怖いところで、じゃあなんで危険だとわかっていてやるんだよって思いますよね。それをやっている人たちって、スラム街に住んでいる人でもやりたくないって言うような過酷な仕事をしていて、もう死んでもいいって思ってる人たちなんです。あとはスラムにも住めないような人とか。ニャオペをやっているっていう人に取材すると、「とにかく現世はもう諦めてる」って言うんですよ。それで「やってるところ見せてやろうか」って言うので、その様子も取材しました。あとでお金をせびられましたが。

ナオキマン　人生は諦めてるけどお金は欲しいんですね。

丸山　またニャオペを買うためのお金にするんですよ。

ナオキマン　ああ、闇が深いですね……。いくらくらい払うんですか？

丸山　5ドルとかそんなもんですよ。

ナオキマン　安いのがさらにきつい話ですね。

丸山　で、注射器を刺すとすぐに血管が黒く浮き上がる。黒人だったんですけど、肌から明確に黒い血管が浮き上がりました。アメコミ映画の『ヴェノム』みたいな感じで、血管がめきめきって出てくる。それでもう涎《よだれ》やら涙やらを垂らしながら向こうの世界にいっちゃうわけです。

ナオキマン　それでどうなるんですか？

丸山　数分すると戻ってきました。「この瞬間のためだけに生きてるんだ」って言ってて。じゃあこのあとはまた仕事頑張るんですか？　って言ったら、副作用で背中が痛むからもうしばらく動けないと。どうやらヘロインの効果よりも殺鼠剤の効果のほうが長く身体に残るみたいなんです。だからヘロインが効いてるうちは気持ちが良いんだけど、それが抜けるとしばらくは痛みで動けなくなる。

ナオキマン　それなら殺鼠剤なんて入れないほうがよさそうですが、なんのために入ってるんですか？

丸山　薬物をやるときの手法で、スピードボールっていうのがあるんです。コカインとヘロインとか、覚醒剤とマリファナとか、複数のクスリをカクテルするんですね。そのときに反作用のものというか、アッパーなものとダウナーなものを同時に使うと、より感覚がぶっ壊れるんです。これはもう効き目がすごいらしくて。そういう効果を安く実現するために、殺鼠剤とヘロインを組み合わせるんです。

ナオキマン　でも、質が低い分、本当に効果は短いってことですよね。しかも命を削る。

丸山　そう、ドラッグってやりすぎたら死ぬというイメージはあると思いますが、このドラッグはそうじゃなくて、一回使うごとに確実に死に向かってるわけです。そういう意味で普通のヘロインとかＬＳＤとかとは違う、一線越えたドラッグだなっていう感じがするんですよね。死に至るドラッグなんだけども、自らの意思でそれを選ばざるを得ない人たちもいる。ニャオペを見たときにはとんでもないものが出回っているという衝撃を受けたと同時に、それを選択せざるを得ない背景ってなんだろうと頭によぎって、ちょっときついなと思いますね。

フェンタニルをめぐる米中戦争

丸山　フェンタニルという薬物が北米で社会問題になっているというのはご存知ですか？

ナオキマン　確か元々は鎮痛剤ですよね。アメリカでその乱用が問題になっているというのは聞いたことがあります。

丸山　ヘロインと同じオピオイド系の薬剤なんですが、その過剰摂取で２０２１年にはアメ

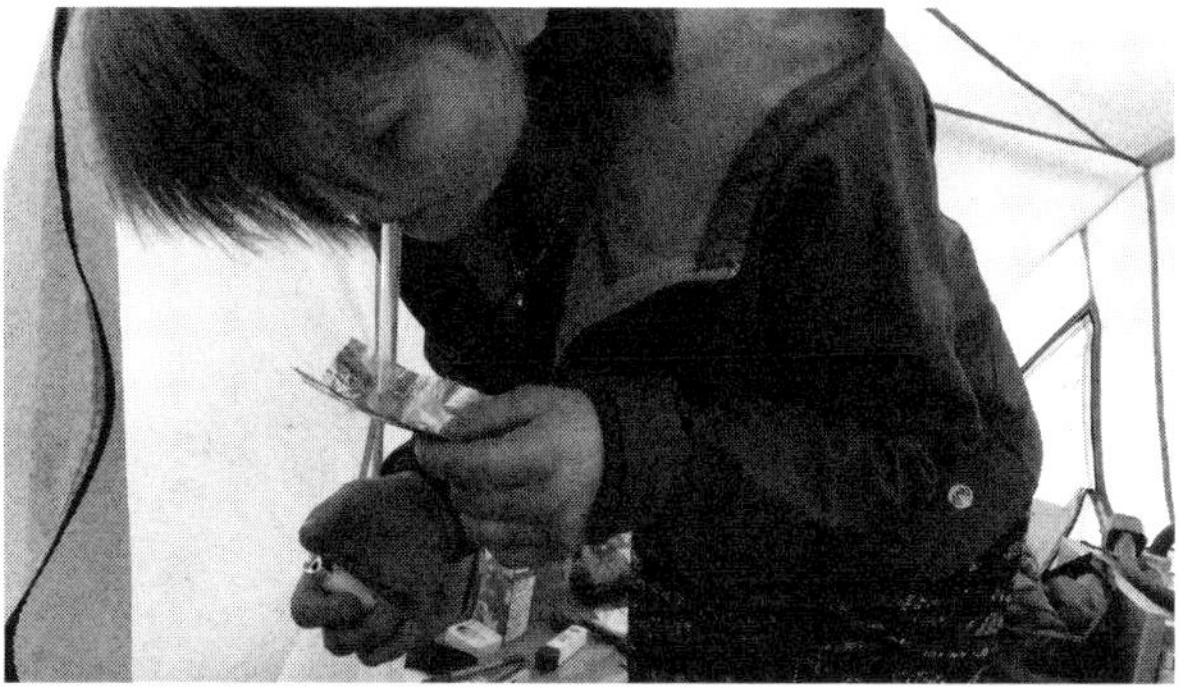

《上》フェンタニルを摂取する女性
《中》路上でうなだれる中毒者
《下》フェンタニルの粉末（いずれもカナダにて丸山ゴンザレス撮影）

リカで7万人が亡くなったと言われています。僕もその現状を取材したくてカナダに行ったんですが、そこで出会ったフェンタニルの常習者は、お医者さんでした。末期がんの患者だったんですが、家族に苦しむ姿を見せたくないから鎮痛剤としてフェンタニルを服用していた。もちろん医者だからそれが麻薬だとはわかっているんだけど、のたうち回る姿を家族に見せるよりはこのままやすらかに死ぬほうがいいと。

ナオキマン　つらいですね。でも、みんながみんな、医療きっかけではないですよね。乱用者が増えたのはなぜなのでしょう？

丸山　一つには、安くて手に入りやすいからでしょう。快楽目的の若者が出会い系アプリなんかを通して集まって使い、広まっていっている、と言われています。そういう連中はフェンタニル単体ではなく、動物用鎮静剤のキシラジンと混ぜて使ったりもします。

ナオキマン　キシラジン入りのドラッグは、ゾンビドラッグとも呼ばれていますね。ゾンビのように体に穴が開き、ボロボロになっていくという。

丸山　そうです。キシラジンはヘロインやコカインと併用されることもあるようですが、多いのはフェンタニルのようです。有効な治療薬がないから、アメリカ政府も警戒しています。

ナオキマン　フェンタニルが流行っている背景にはどんな事情があるんですか？　ニャオペ

2022年にインドネシアでG20が開催された際に握手を交わしたバイデン大統領と習近平国家主席。米中の覇権争いが激しさを増すなか、近年はフェンタニルをめぐる対立も過熱している

の常用者のような、つらい事情を抱えた人ばかり、ってわけではないですよね。

丸山　実は中国が国策として、アメリカを弱体化させるために送り込んでいるという話があるんです。

ナオキマン　え！　コロナの話にもつながりそうな内容ですね。

丸山　そうなんです。フェンタニルを生産しているのはメキシコのマフィアなのですが、その原料は中国産です。アメリカやメキシコでそのドラッグはどこ原産か？　って聞くとかなりの割合で中国産なんですよ。アメリカは規制を強化したいけど、米中が政治的に対立する時期には、うまくいかないこともある。対立が表面化している近年は、うまくいっていない時期ですね。アメリカの司法省は中国企業8社と中国人12人を、フェンタニルの密造に関わったとして、訴追しています。2023年10月のニュースなので、まだこれからどうなるかはわかりませんが、今の中国とアメリカは麻薬戦争と言ってもいいくらいバチバチの関係です。

日本も他人事ではない？

ナオキマン　日本ではフェンタニルの問題は起きてないんですか？

丸山　今のところは大したことないですね。元々日本って、同じオピオイド系のヘロインとか全然流行ってないんですよ。覚醒剤と大麻が大半を占めています。今は若い層を中心に、大麻が増えていますね。

ナオキマン　確かにヘロインって聞かないですね、あんまり。

丸山　確かな理由はわからないのですが、日本人は働き者だから合わないんだろうって言われていました。でも、日本社会もどんどん不安定になってきてますよね。働きたくないっていう人が増えれば、ひょっとしたら今後はわからないですよ。中国がアメリカと同じように日本を弱体化させたいと考えたら、意図的に送り込んで日本でフェンタニルを流行らせよう

◎各種薬物事犯の検挙状況及び押収量の推移（「令和5年警察白書」より）

区分		年次	2018	2019	2020	2021	2022
覚醒剤		検挙人員(人)	9868	8584	8471	7824	6124
		押収量(kg)※1	1138.6	2293.1	437.2	688.8	289.0
大麻		検挙人員(人)	3578	4321	5034	5482	5342
	押収量	乾燥大麻(kg)	280.4	350.2	265.1	329.7	289.6
		大麻樹脂(kg)	2.9	12.8	3.4	2.1	5.6
		大麻濃縮物(kg)				22.2	74.0
		大麻草(本)	4456	8074	9893	7301	7563
		大麻草(kg)※2	23.0	33.2	37.9	17.8	11.2
麻薬及び向精神薬	MDMA等合成麻薬	検挙人員(人)	50	82	201	221	229
		押収量(錠)※3	12303	73935	90322	54204	74824
	コカイン	検挙人員(人)	197	205	188	157	240
		押収量(kg)	42.0	34.9	23.4	10.0	41.8
	ヘロイン	検挙人員(人)	10	6	6	0	0
		押収量(kg)	0.0	0.0	14.8	0.0	0.0
	向精神薬	検挙人員(人)	34	44	34	20	31
		押収量(錠)	10859	55	4075	533	11038
アヘン		検挙人員(人)	1	2	12	15	3
		押収量(kg)	0.0	0.0	0.0	5.8	0.0

※1：錠剤型覚醒剤は含まない　※2：本数として計上できない形上のもの
※3：覚醒剤とMDMA等の混合錠剤を含む

路上に集まる薬物中毒者。2023年4月下旬、米フィラデルフィア郊外で撮影。フェンタニルやヘロインなどアメリカで流行しているオピオイド系薬物は、日本では少数派（写真提供：共同）

としてくるかもしれない。そうなったら、日本人はすぐダメになるかもしれません。

ナオキマン　ええ……めちゃくちゃ怖い話ですね。

ステロイドの危険性

丸山　フェンタニルもそうですが、個人的に日本で今後怖いなと思っているのがステロイドです。

ナオキマン　スポーツ選手のドーピングなどで使われる薬物というイメージがありますが。

丸山　そうです。いわゆる筋肉増強剤というやつです。そもそも筋肉というのは筋トレで筋繊維にダメージを与えて、それが回復するときに元々よりも強く大きくなるという仕組みなのですが、ステロイドはこの回復をより強力にします。

ナオキマン　同じトレーニングをしていてもより大きく筋肉が育つわけですね。でも、ドーピングとされているということは、何かしらの副作用があるということですよね。

丸山　そうです。簡単に言ってしまうと、ホルモンバランスを変える薬物で、副作用として鬱病になったり、自殺願望を引き起こしてしまうことが指摘されています。メンタルが落ち込んでいくとトレーニングにも支障が出ますから、それを補うために興奮剤を併用する人もいて、そうなると今度は心臓に負担がかかって心不全なんかのリスクも出てきますね。

ナオキマン　なるほど。たまにそういった薬物で亡くなられるアスリートの方というのも耳にしますよね。

丸山　過去に有名なボディビルダーの方が自殺をされた際にこのクスリを使っていたのではないかと言われることもありました。プロレスの世界でも、明らかに試合中の動きや言動がおかしい選手がいて、先輩が問い詰めたところ強くなるためにステロイドをしていたと。そしてメンタルが弱い選手だったので興奮剤も使っていたとなって、その方は団体をクビになったんですが、その少しあとに心不全で亡くなられています。

ナオキマン　そうか、体は鍛えられるけど心にダメージがいくんですね。

丸山　そうです。ただ、ボディビルダーの方々などはそこに人生を賭けているわけですよね。体づくりというのは終わりがないですから、どれだけ鍛えてももっともっととなる世界です。

ナオキマン　確かにそこは普通のスポーツともちょっと違うかもしれませんね。

丸山　アメリカなどだとボディビルの大会に出るためにアメリカ中をさすらっているような人たちがいて、そういう人たちはあまりお金もないんです。だけどちゃんとトレーニングをして筋肉は大きくしなければならない。そうなると健康に長生きするよりも、理想の体を手に入れて活躍して、という「人生太く短く」というような思考になるんでしょうね。

ナオキマン　それでステロイドに手を出してしまうと。ただ、そういう大会ってドーピング検査とかがありますよね？

丸山　大会の規模にもよるんでしょうけど、多くの場合は尿の貸し借りをしたりして結構簡単にごまかせるようです。袋に他人の尿を入れておいて、排泄するふりしてぴゅーっと出すんですね。警察がやるハードドラッグの検査なら出す瞬間もちゃんと確認されますけど、そこまでやらない場合も多いのだと思います。

ナオキマン　なるほど。でもなぜこれから日本でステロイドが怖いと思われるんですか？

丸山　日本も今空前のフィットネスブームじゃないですか。

ナオキマン　ああ！　確かに。

丸山　自分の体に取り憑かれてしまうのって、何もトップレベルのボディビルダーだけじゃないと思うんですよ。少しでもトレーニングをしたりすると、多かれ少なかれみんなそういう思いは抱くと思います。そして何より、日本でフィットネスを趣味にする人の多くは、余裕のある人ですよね。

ナオキマン　確かにそうですね。ジムに行ったりプロテインを買ったりするのはある程度お金がいりますから、ある程度は豊かな生活を送っている人じゃないとできない。知り合いの経営者などにも、最近パーソナルジムに通い出したという人は多い気がします。

丸山　しかもプロのボディビルダーの方々よりそういった薬物の知識は持ってないわけです。「知識がないけれどお金を持っている人が集まっている市場」となれば、そこに目を付ける悪い人間が現れるほうが自然だと思いませんか。

ナオキマン　言われてみれば、すでに健康を謳っているサプリメントでその根拠がなかったり成分がよくなかったりで炎上するというのはちょくちょく見かけますからね。

丸山　ステロイドなら筋肉を大きくするという効果は間違いなくあるわけですからね。それが余計に危ないと思っています。

日本にも存在するクスリ部屋

ナオキマン　日本の話で思い出したんですが、薬物を使うためのクスリ部屋のようなものは結構あるんでしょうか？

丸山　そこら中にあると思いますよ。

ナオキマン　葬儀屋をしている知り合いがいるんですが、あるとき清掃業者から委託されてとある建物の清掃に入ったそうなんです。そこが「不可解な死」の章で伺ったＲＥＤ ＲＯＯＭの話（59ページ参照）とまったく同じで、外からは見えない中２階のような部屋があったと。

丸山　やはり何かを隠したいときはそういった建物を使うんですね。

ナオキマン　で、そのときはもろに女性の死体があったそうなんです。周りには腐敗した食べ物や排泄物と思われる痕跡もあったりして、普通なら当然警察に通報するような状況です。だけどそのときは、依頼主から「そこにあるのは人形だから」と説明されたらしくて。

丸山　どう見ても人の死体なんですよね？

ナオキマン　そうです。明らかに死体なんだけれど、人形ですと強く言われているから、死体ではなく人形として処理をしたらしいんです。さらにリアルだなと思ったのが、依頼してきた清掃業者に通常どおり見積もりを出すと、普段は会社の口座から入金してくるのに、そのときは社長のポケットマネーで払ってきたんだそうで。

丸山　完全に足がつかないように意識してるじゃないですか。

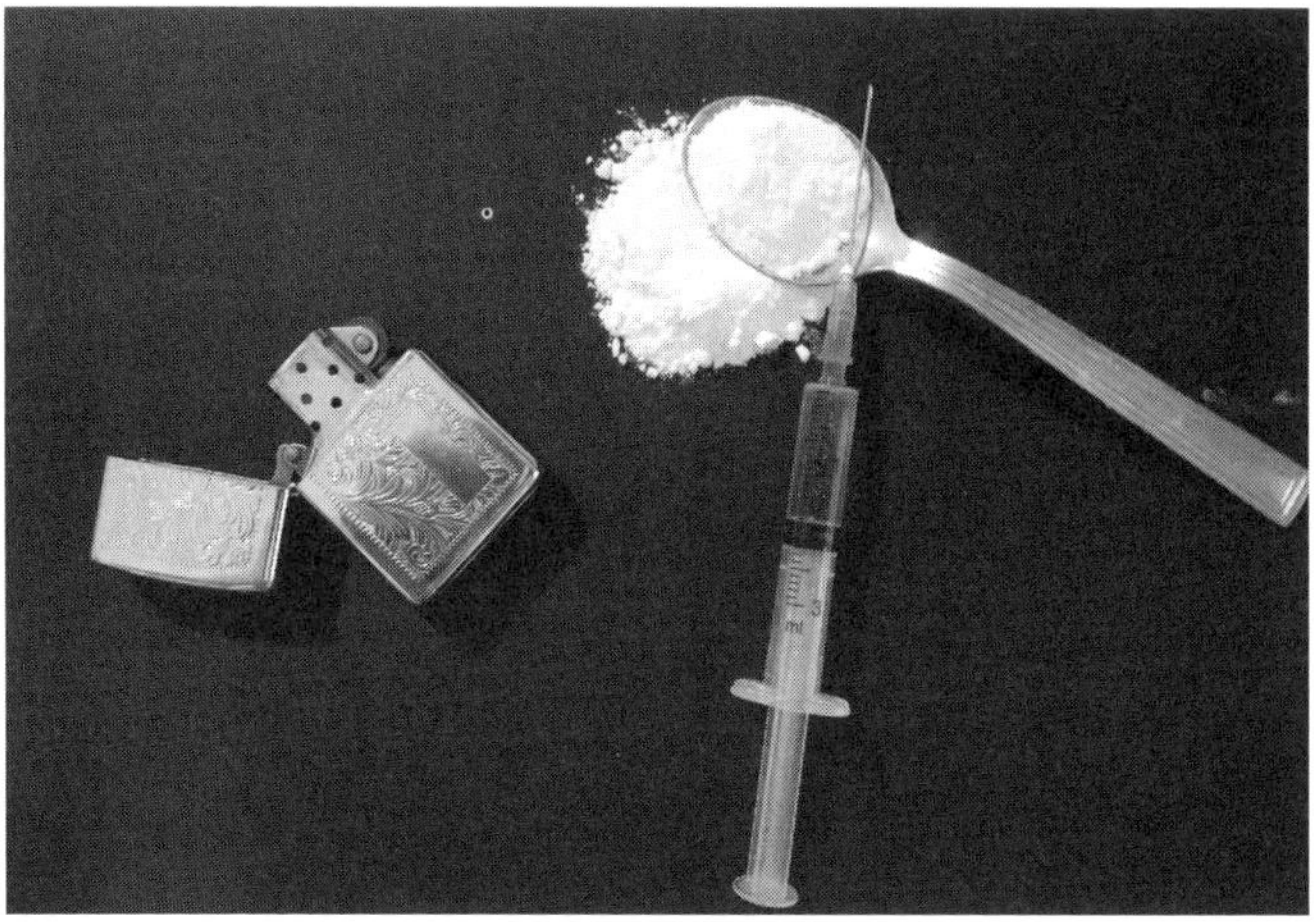

中毒者が薬物を摂取するために集まるクスリ部屋は、日本の至るところに存在する

ナオキマン　それであとから聞いた話だとそこは「シャブ部屋」、つまり住人たちが薬物を嗜むための部屋だったらしいんですね。クスリ漬けになった女性たちがグループで暮らしているような部屋だったと。そういう部屋があるなら、RED ROOMのようなものもあり得るのかな、と思ったのでさっきの質問をしたわけです。

丸山　そうですね。RED ROOMのように金持ちが一方的に拷問をするということではなく、クスリをやりたい人間が集まるシャブ部屋のようなものなら、それこそそこら中にあると思いますよ。同じような話で、そういう部屋の清掃を任されたという話もちらほら聞いたことがあります。

ナオキマン　日本でもたくさんあるんですね。

丸山　僕が聞いたのは特殊清掃の会社で、名のある資産家の一族から「いくらかかってもいいから絶対に口外しないでくれ」ということで清掃を依頼されたと。

ナオキマン　その時点でめちゃくちゃ怖い仕事ですよね。

丸山　そこに入ったら注射器から何まですべて揃った完全なシャブ部屋があったそうです。

ナオキマン　クスリ自体もあったんでしょうか？

丸山　めちゃくちゃな量があったそうです。というのもその部屋の元の持ち主はプッシャー、すなわち薬物の売人だったんです。元々はその資産家一族の人間だったんですが、あまり優秀ではなく、いわゆる鼻つまみ者だったみたいですね。グレていったけれどヤクザにもなれない中途半端な奴で、プッシャーをして生活していたそうです。

ナオキマン　だから一族の汚点を揉み消したくて依頼してきたんですね。

丸山　そういうことです。そのときもナオキマンさんの話と同じく現ナマで支払われたそうです。

ナオキマン　絶対記録には残せないですもんね。

丸山　その清掃をした人間は、ある程度そういう仕事もこなしていてクスリにも詳しいので、その量のクスリが末端価格でどれくらいになるかわかったそうです。

ナオキマン　すごい量だったんですよね。それを売ってお金にしちゃいたいと思ったりはしないんでしょうか。

丸山　頭にはちらついたらしいですよ。でもやっぱりそういうわけにはいかないですからね。ちゃんと処理したそうです。

ナオキマン　ちなみにそういった薬物の処理ってどうするんですか？　普通にゴミに出すならわざわざ業者を呼ばない気もしますが。

丸山　そうですね。万が一バレたら大変ですから。基本はトイレで流すことが多いと思います。ただそのときは量が量だったので、一気に流したら詰まってしまうということで少しずつ時間をかけて流したそうです。

ナオキマン　トイレが詰まるくらいの量の薬物ってすごいですね……。

丸山　あとは注射器とかそういったものはそもそも普通のゴミには出せません。医療ゴミとして廃棄する必要があるんですが、病院に持っていって「これ捨ててください」って言うわけにもいかないので、そういうのを専門に扱う別の業者を探す必要があります。これがまた大変らしいです。そういうのをすべてやると結構なお金がかかるみたいですね。

ナオキマン　それが現金でポンっと払われるんですね。すごい世界です。

新脱法ドラッグの治験をめぐる虚実

ナオキマン　ドラッグについて僕が聞いた都市伝説がどれくらい信憑性があるか聞いてみたいんですが、いいでしょうか。

丸山　もちろんです。どんな話でしょうか。

ナオキマン　日本のとある地域での話で、その地域に風俗嬢が立て続けに餓死する、という事件があったそうなんです。

丸山　なるほど。最近の話ですか？

ナオキマン　そんなに昔ではないですね。餓死の原因とされているのが、ドラッグです。中国から福岡に、何やら新しい脱法ドラッグが入ったと。ただ、完全に新しいものなのでどれくらいの効果があるかわからない。だから治験をしたいとなったらしいんです。そこで選ばれたのがその地域の、お金のない風俗嬢たちでした。その結果、薬を使った風俗嬢たちは1週間以上飲まず食わずの状態になって餓死してしまった。こういう話を聞いたんですが、ゴンザレスさんからしてこれってあり得る話でしょうか？

丸山　薬物によって空腹を感じなくなるというのは、普通にある話ですね。ただ、おそら

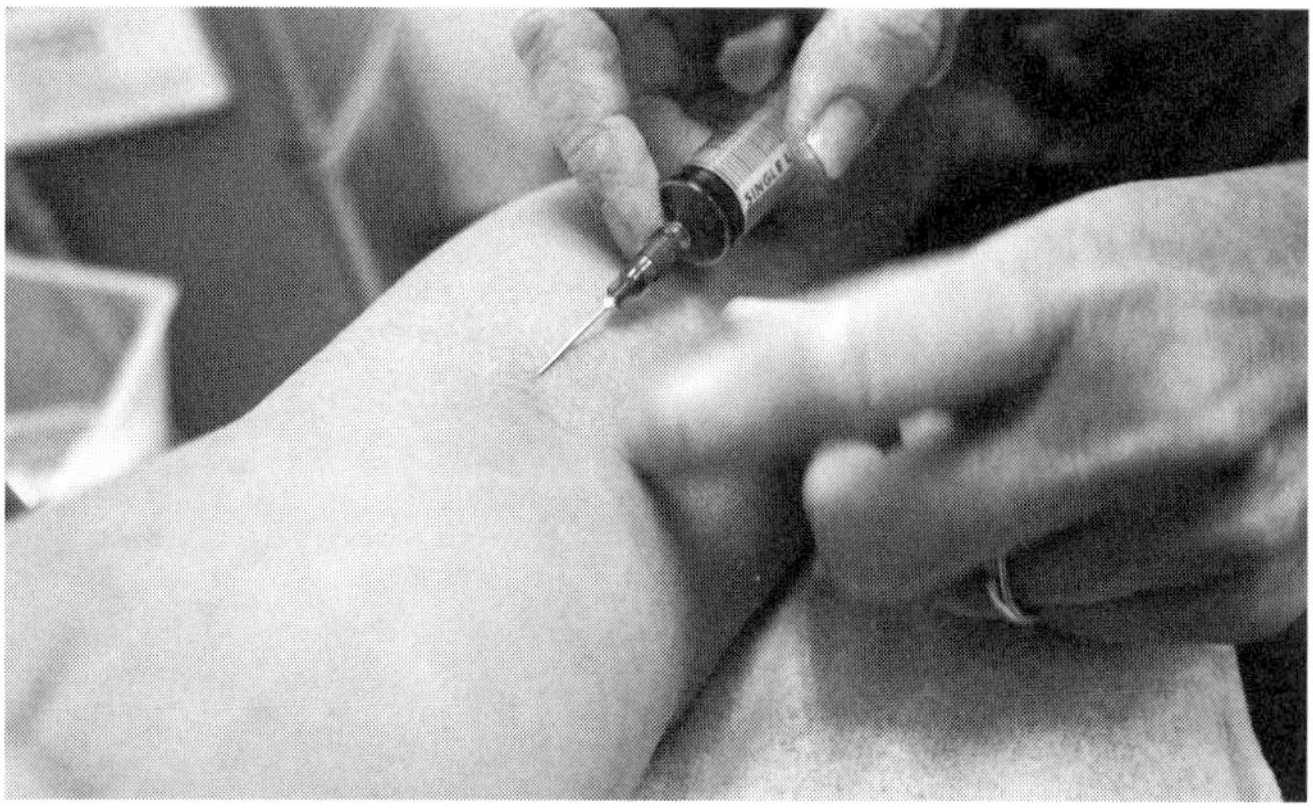

高額な報酬を餌にして、製薬会社などが危険な治験を行っているという都市伝説もある

く餓死というよりは、栄養失調の脱水症状による心不全っていう感じじゃないですかね。

ナオキマン　ほうなるほど、じゃあ結構信憑性がある？

丸山　うーん、そんなことをしてタダで薬をばら撒くようなことがあるかと言われると、ちょっと聞いたことがないですね。治験と言っても表のちゃんとした治験ではもちろんないですし、裏でわざわざそれをやるかというと、ちょっとなさそうな気がします。

ナオキマン　そうなんですね。じゃあゴンザレスさん的にはガセっぽい、ですか。

丸山　ただ、どこかで話に尾ひれはついているかもしれませんが、元になる話はあると思うんですよね。それで今思い出したのが、昔のニューヨークの秘密クラブのことです。

ナオキマン　秘密クラブですか。会員制のクラブとは違うんですか？

丸山　それより入りやすいかもしれませんね。表に看板を出していないというだけで、場所さえ知っていれば僕でも入れるようなところでした。そこでカクテルドラッグが山のように積んであるんですけど、新しいカクテルドラッグだからどんな飛び方するかわからないよって言われるんです。実際、それを使って死んじゃった人もいたにはいた。

ナオキマン　じゃあそういう実験的なドラッグが出回るということ自体は、あり得る話なんですね。

丸山　そうですそうです。ただ、大々的に「治験」みたいな感じで人を集めることはないかな、という。バタバタと人が死ぬというのは、たとえ裏社会とはいえリスクが高いですからね。特に日本は人の命の価値が高いですから。

ナオキマン　確かにそうですね。あくまで自己責任の範囲で、使った人が勝手に死ぬという建てつけじゃないとリスクが大きいというのは納得です。

丸山　ただ、そこまで組織的じゃない話、例えば馬鹿な売人が怖い兄貴分から「1週間以内に使わせて報告しろ」って言われて女の子10人くらい集めてきたらみんな死んじゃった、みたいな話はあるかもしれませんね。

ナオキマン　治験というよりはそういう個人レベルの話ということですね。

丸山　そうですそうです。もっとも、さっき「日本は人の命の価値が高い」と言いましたが、それも今後はどうなるかわからないですよね。どんどん貧困化していて、命を安く売る人は増えていますから。

——JEWISH CONSPIRACY THEORIES——

第5章

ユダヤ陰謀論

ユダヤとシオン議定書

丸山　陰謀論、というとユダヤ人が世界を牛耳っている、という話はよく耳にする気がするんですが、そのあたりのお話を伺ってもいいでしょうか。

ナオキマン　はい。世界はユダヤ人が牛耳っているという陰謀論は、古くからあります。その根拠として重要なものが、シオン議定書です。１９００年前後にロシア語で最初に出されたと言われており、１９２０年頃にはドイツ語版も出されました。多くの反ユダヤ主義者に影響を与えたいわくつきの文書で、例えばヒトラーは、この本を読んだからああいう過激な思想にいきついたと言われているんです。主な内容は以下のとおりです。

・ゴイム（ユダヤ人以外の人類を見下す言葉）を暴力と恐怖によって支配する
・政治にモラルは必要ない
・直接的な戦争よりも経済支配によってユダヤたちの優越を決定する
・すべての国にスパイを送り込んで国を動かす
・権力者たちを裏から操って争わせる

こんな具合に、かなり過激な思想が書かれています。海外では、ナチスがホロコーストを起こした一因だとして、世界一ヤバい本だと言われることもあります。

丸山　そのシオン議定書の影響力が現在も健在だということですよね。この文書に書かれたとおりに、ユダヤ系の資本家が経済的な基盤を背景に、世界を操っていると考える人たちがいると。

ナオキマン　そういうことです。

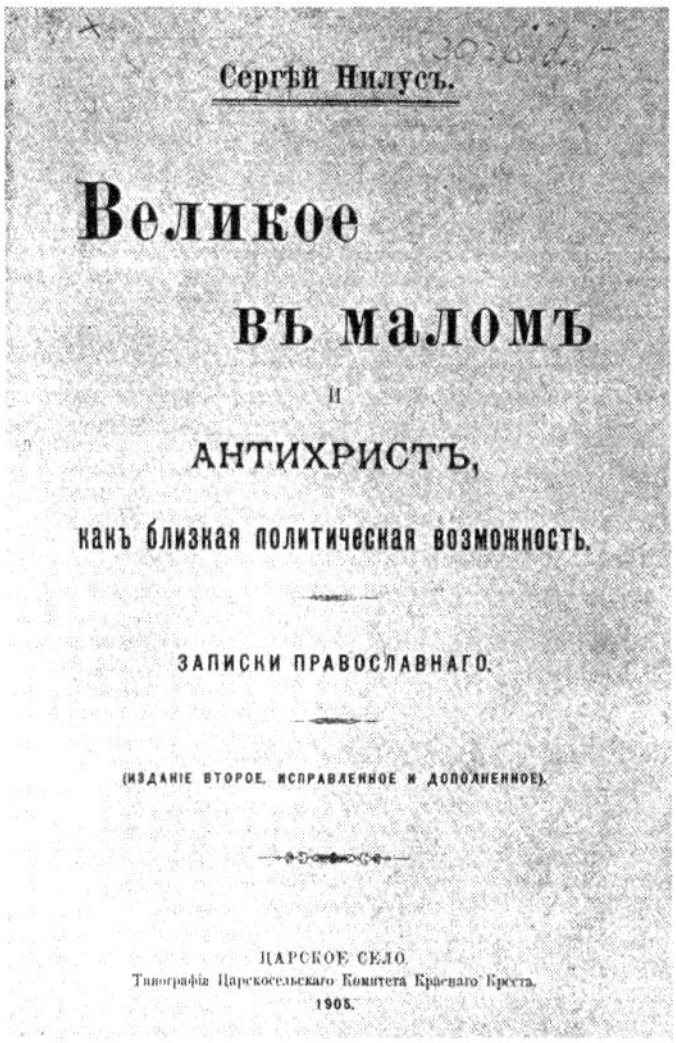
Сергѣй Нилусъ.

Великое
въ маломъ
и
АНТИХРИСТЪ,
какъ близкая политическая возможность.

ЗАПИСКИ ПРАВОСЛАВНАГО.

(ИЗДАНІЕ ВТОРОЕ, ИСПРАВЛЕННОЕ И ДОПОЛНЕННОЕ).

ЦАРСКОЕ СЕЛО.
Типографія Царскосельскаго Комитета Краснаго Креста.
1905.

シオン議定書のロシア語版

丸山　実際のところ、シオン議定書は実在するものなんですか？

ナオキマン　本自体は普通に存在していますが、内容はすべて創作で、いろいろな災難をユダヤ人のせいにするためにつくられたものだ、と言われたりもします。ただ、僕は本物だと思っているんです。

丸山　ほう、どんな根拠でそう思うのでしょうか？

ナオキマン　今から数年前にある女性から、面白い話があると連絡がきたんです。ある日、父方のおじいちゃんが亡くなったということで、住まいのあったパリにお葬式へ行ったそうです。そこで突然、二人の見知らぬ大人が近づいてきて、「○○さんのお孫さんですよね。ここに行ってもらえますか」と言われたそうです。

丸山　不思議な話ですね。そこにおじいさんの遺品か何かがあったのでしょうか？

ナオキマン　それが実は、おじいさんがフリーメイソンで特別な役職を持っていた人だから、その地位を引き継がないか、という話だったんです。

丸山　とても興味深いです。フリーメイソンも、この手の話で必ず出てくる秘密結社のような組織ですね。

ナオキマン　そうですね。世界最古にして最大の友愛団体、と言われたりもします。世界各地に支部があり、会員数は600万人を超えるとされます。日本にも支部はあります。

丸山　女性はおじいさんのその地位というのを、引き継いだんですか？

ナオキマン　そうです。で、それがどんな役職かというと、フリーメイソンが管理している書物の管理役なんです。

イングランド、ウェールズのフリーメイソンを統括するイングランド・連合グランドロッジ。世界各地に、各地域を統括するグランドロッジが設けられている（© Eluveitie/CC BY-SA 3.0 DEED）

丸山　書物？　フリーメイソンの経典のようなものですかね？

ナオキマン　女性が案内された場所に行くと、教会がありました。その地下に8畳くらいの図書室のような部屋が、六つほどあった。そこにはぎっちりと本が並んでいて、どんな本か見てみたら、これまでの世界の歴史に関するものだったとか。それがただの歴史書ではなくて、定期的に優秀な学者たちが集まって「未来予想図」のようなものを書き足しているというんです。

丸山　この世界の未来が記されているわけですか。スケールの大きい話ですね。

ナオキマン　もちろん、書かれているのはあくまでも予想です。とはいえ世界的な権力者や大富豪には、ユダヤ人が多い。そういうユダヤ人はアメリカに強力なロビー団体を持っているので、政治的な影響力も絶大です。

丸山　確かに。それに科学者にも有名なユダヤ人は多いです。

ナオキマン　そうですね。アインシュタインもそうですし、アインシュタインが天才と称したジョン・フォン・ノイマンもユダヤ人です。だからある程度、予想した未来に向かって世界を進める力はあると思うんですよ。

丸山　そこが面白いところですね。日本でも鳩山一郎さんがフリーメイソンであるっていう

アルバート・アインシュタイン（左）＆ジョン・フォン・ノイマン（右）

のは広く知られていますし、アメリカの歴代大統領にもユダヤ系の人は多い。創作として語られている部分もあるにせよ、歴史的な事実が含まれているというのが面白いところでもあり、怖いところでもあるという。

ユダヤの歴史

丸山　特に金融や経済の世界においてユダヤの影響力が強いというのは事実としてあると思うんですが、そもそもなぜユダヤがそのような力を持ったのか。歴史的な背景を知らない読者もいると思うので、一度おさらいしましょうか。

ナオキマン　そうですね。まず歴史の話になりますが、ユダヤ人というのは元はユダヤ教を信仰する人々ですよね。まあ今となってはその定義も難しいですけど、ひとまずはじめはユダヤ教徒の人々です。古代ローマ時代のあるとき、ユダヤ教徒の一人が「自分は神の子であり、神がこの世に遣わせた救世主である」と言い出します。

丸山　イエス・キリストですね。

ナオキマン　そうです。そこからキリスト教が生まれるわけですが、当然元々のユダヤ教徒からすれば神を侮辱したな、となるわけです。そこでイエスを訴え、十字架に磔にして殺してしまうわけですね。そのあとは長くなるので省きますが、結果としてキリスト教のほうが多数派となり、キリストを殺したユダヤ人は迫害されてしまいます。

丸山　住んでいた土地も追われてしまい、ユダヤは国を持たない民族のような形になって世界に散っていくわけですね。

ナオキマン　ここで重要なのが、キリスト教ではお金の貸し借りが禁止されていたということです。汚い仕事とされていたんですね。けれどユダヤ人はキリストを処刑したことでみんなに嫌われていて、そもそも共同体の仕事からは追い出されていたんです。そこで、嫌われ者の仕事とされていたお金の貸し借りを担当するようになっていくんですね。

丸山　最初は渋々やっていた仕事だけれど、長い間他の人がやらないお金の貸し借りを専門的にやってきたから、必然的に資本家が多く生まれていったと。

ユダヤ人の高利貸し（右）を描いた木版画

ナオキマン　そうですね。ようはお金の貸し借りがユダヤ人の専売特許のような形になっていたわけです。

銀行をつくったロスチャイルド

ナオキマン　その結果、有名なロスチャイルド家が世界で初めて銀行業を確立するとか、「お金のルール」をつくっちゃうわけです。
丸山　お金のルールっていうのはこの世界全体のルールですから、世界を牛耳る力もある。そんなふうに、考えられていくわけですね。
ナオキマン　そういうことです。このロスチャイルド家のやり方というのが、一番ユダヤっぽいなと思うんですよ。

ネイサン・メイアー・ロスチャイルド。ロンドンロスチャイルド家の祖。ワーテルローの戦いのときに公債の売買を通じて莫大な利益を上げた

丸山　どういうことでしょうか。

ナオキマン　ロスチャイルドは5人の息子をフランクフルト、ウィーン、ロンドン、ナポリ、パリというヨーロッパ各地に送って、そこの王族とパイプをつくってあの手この手で影響力を高めていきます。特にすごいのがワーテルローの戦いです。

丸山　フランスのナポレオンが、イギリス・オランダなどと戦った戦争ですね。

ナオキマン　はい。この戦いはナポレオンが敗れイギリス側が勝利したんですが、その情報をいち早くキャッチしたロスチャイルドは、自分たちが所持していた大量のイギリス公債を売りに出すんです。

丸山　イギリスは戦争に勝ったわけですから、普通その公債は価値が上がりますよね。それを売るんですか？

ナオキマン　というのも、当時ロスチャイルドが各国にパイプがあって、すごい情報網を持っていることは、他の投資家たちも知っていたんです。そこでロスチャイルドがイギリス

の公債を売りに出せば「つまりイギリスはナポレオンに負けたんだな」とみんなが思う。結果としてイギリスの公債は暴落します。

丸山　みんなロスチャイルドを信用して自分も早く売らなきゃ、と思うわけですね。

ナオキマン　そうです。そうして暴落したイギリス公債を今度は一気にすべて買い占めるんです。そしてそのあとイギリス勝利のニュースが流れると……。

丸山　イギリス公債の価値は上がりますから、巨額の富が築ける、と。現代でいうところのインサイダー取引のようなことをしていたわけですね。

ナオキマン　そういうことです。お金のコントロールに関して、その時代の人とは一線を画す策略を持っていたのがロスチャイルドです。そうした能力を駆使して、銀行という仕組みを確立させ、今でもヨーロッパ各国で傑出した金融グループとなっています。

ユダヤ人はアメリカや中国も牛耳っている？

丸山　ロスチャイルド家の動きがユダヤ人っぽい、とおっしゃいましたが、どういうところがそう見えるのでしょうか。

ナオキマン　端的に言えば、各国に入り込んでいってそこで自分たちの基盤を築いていくところですね。例えばアメリカです。アメリカでは18世紀頃から移民がめちゃくちゃ増えています。

丸山　今では移民の国と言われるくらいですからね。

ナオキマン　その中で１９２４年に移民の数を制限する法律ができます。ただ、この時点ですでに３００万人ほどのユダヤ人が移民としてアメリカに移住しているんです。１９００年のアメリカの人口が７６００万人と言われているので、かなりの割合ですよね。そこでアメリカユダヤ人委員会というものができていて、どうすればユダヤ人の人権を守りながら発展していくことができるかっていうのを話し合って工作しているんです。１９２４年の移民制限法は主にアジアからの移民が制限されましたが、そういったことに一枚噛んでいたんじゃないかと言われています。

丸山　それだけの人数がいれば影響力を持つのも納得です。

ナオキマン　さらにそこにユダヤマネーの力が加わるわけですから、どんどん国内でのユダヤ人グループの影響力は高まっていく、という構図です。ちょうど２０２４年には大統領選挙がありますけど、選挙で票を取ろうと考えたらユダヤ人の力というのは資金と組織票の両

1924年、在日米大使館前で移民制限法に抗議する人々。同法は日本人移民の排斥に主眼が置かれていた（ⓒドイツ連邦公文書館本館／CC BY-SA 3.0 DEED）

面で無視できません。

丸山　ユダヤ人同士のコミュニティという組織票があれば、政治に影響を与えるのはおかしいことではありませんよね。日本でもそういった政党はありますし。そこに国際金融資本家たちのお金の力もあるわけですから、「ユダヤが世界を牛耳っている」というのもすべてが陰謀論とは片付けられない。

ユダヤとパレスチナ問題

丸山　ユダヤ人の話をするなら、今まさに起きているパレスチナの戦争の話は無視できませんよね。アメリカ政府がユダヤ人と密接な関係があるというのはずっと言われてきていることだと思いますが、それが可視化されたと感じます。２０２３年10月7日のハマスによる大規模攻撃の直後にバイデン大統領はすぐ「アメリカはイスラエルとともにあり、確実に支援していく」という声明を出していますから。

ナオキマン　歴史的な背景をおさらいすると、古代ローマの時代に迫害され自分たちの国を追われたユダヤ人たちは「いつか聖地エルサレムに1000年続く自分たちの国をつくる」ことを目標としてきました。それが19世紀末から具体的な運動となっていき、1948年についに建国されたのがイスラエルです。

丸山　ただ、イスラエルができた場所は、元々パレスチナというアラブ系の人々が住む国でした。今度はそのアラブ系の人々が自分たちの国を奪われるような形になった、というのがこの問題の根本ですよね。

ナオキマン　そもそも、そのイスラエル国が建国された流れも異常という気もします。1948年にイスラエルが建国を宣言した際、世界で初めてそれを承認したのはアメリカです。宣言からわずか11分後だったそうです。

丸山　最初からアメリカはイスラエルとずぶずぶだったわけですね。

ナオキマン　ちょっと理解しづらいのが、アメリカ内にはキリスト教の福音派という人々がいるんです。アメリカ国民のおよそ4分の1を占めるとされる、アメリカ国内最大の宗教勢

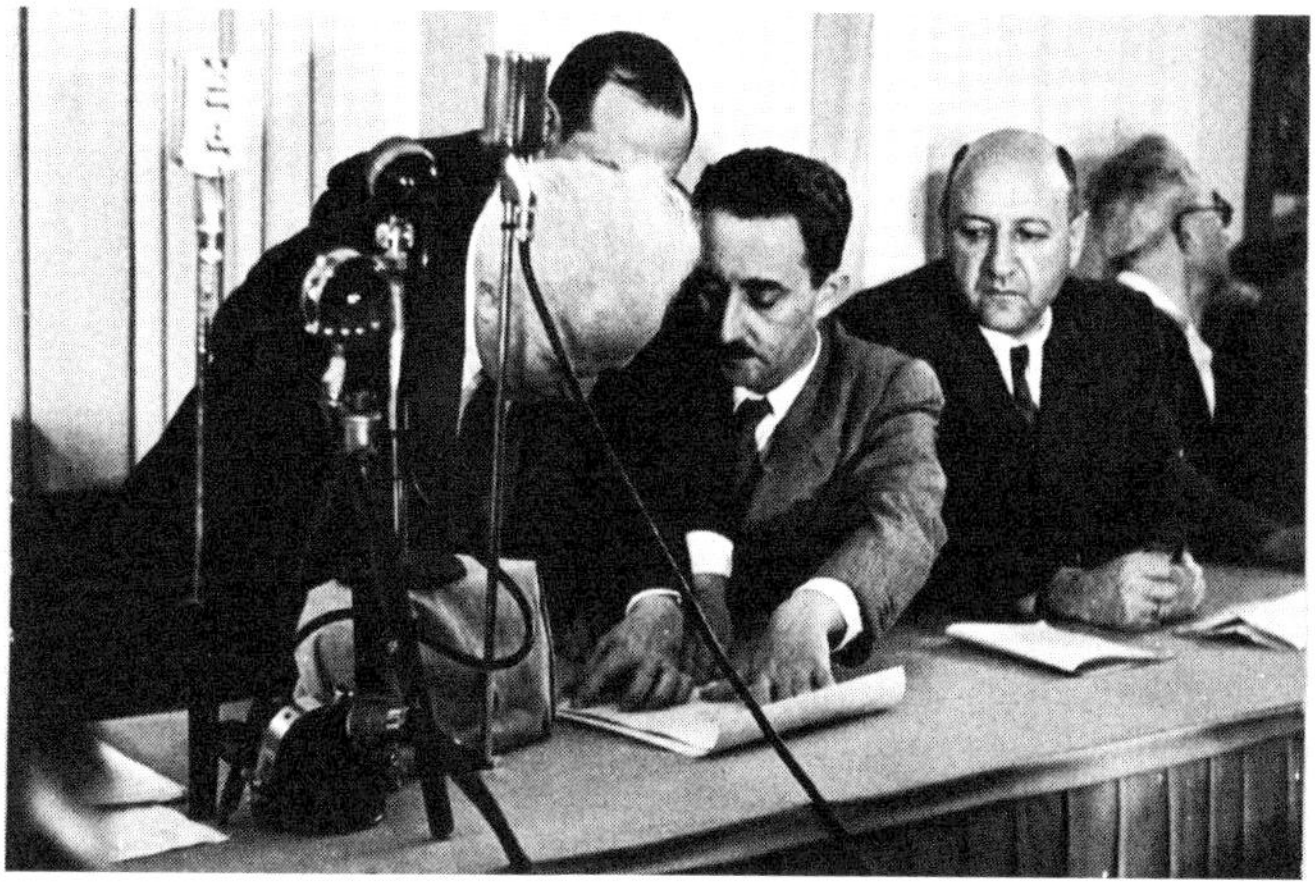

1948 年のイスラエル独立宣言時の様子。テルアビブ美術館にて、指導者のダヴィド・ベン＝グリオンが署名をしている（©イスラエル政府広報局／ CC BY-SA 3.0 DEED）

イスラエルの首都エルサレム。国際社会はエルサレムを首都として認定していないが、2017 年 12 月にトランプ米大統領が正式に首都として認めて波紋を広げた

力なんですが、この人たちはキリスト教徒でありながら旧約聖書を信仰しているんですよね。だから国民の信仰心としても、ユダヤ人が聖地エルサレムに建国したイスラエルを支持している。

丸山　歴史的にはキリスト教とユダヤ教はバチバチに争っていたように見えるけれど、その人たちはそうじゃないと。我々からすると矛盾してる感じがしますけどね。

ナオキマン　そう。ユダヤをサポートするけど最終的にはやっぱりキリスト教だよね、みたいな矛盾だらけの思想なんです。

国際金融資本家たちの目的は？

丸山　そうやってアメリカの内部で強い影響力を持ったユダヤ人たちの目的は、世界を支配下におくことなんですか？

ナオキマン　そうですね。もっと具体的に言うならばマネー主義です。資本主義が進めば進むほど彼らの影響力は強くなります。じゃあどうなればいいかというと、国という壁を撤廃すること。そうすれば大きな会社はもっと大きくなって力をつけていく。すべての壁を撤廃すれば、単純に資本力や競争力のある企業や組織がすべて独占するようになる。これをやろうとしてるのがアメリカで言うと民主党、バイデン政権ですよね。

丸山　グローバリストですね。これは陰謀論とかではなく、もう明確にそうしようとしている。

ナオキマン　ただそれに対してちょっと待ったと言っているのが、ナショナリストであるドナルド・トランプです。

丸山　彼らはまずはアメリカが大事、アメリカファーストだ、と言っているわけですね。アメリカの政権争いはグローバリストvsナショナリストの争いと言うこともできます。

ナオキマン　ただ面白いのが、そのナショナリストたちの中には、先ほどの福音派が多くいるんですよ。だからナショナリストと言いつつ、イスラエルを支援することには肯定的なんです。

丸山　どちらが政権を取ろうが親ユダヤの流れは崩れないと。

ナオキマン　そもそもトランプにしてもロスチャイルドから資金援助を受けていますから、結局そっちにもいい顔をしなきゃいけないんですよ。

丸山　そこは「政治」ですよね。矛盾も飲み込んでいかなきゃならない部分もある。

ナオキマン　なのでアメリカ内部では今179ページの図のようになっているんです。中心にユダヤ、国際金融資本家たちがいる。そこにグローバリストたちのピラミッドがある。そこと闘おうとしているのがトランプですけど、トランプも国際金融資本家とは仲良くしなきゃいけない。結局蓋を開けてみれば、ユダヤ及び国際金融資本家は両方にテコ入れしているので、どっちが勝っても問題ない盤石の構造になっているんです。

丸山　資本家はリスク分散のために、投資先を分けるものですからね。資本主義社会である以上、それは避けられない。

ナオキマン　ただ、そのうえでよくわからないのが今回のパレスチナでの戦争です。表向きのイスラエル側の目的は「聖地エルサレムの元にあるイスラエルという国を守ること」ですけど、ユダヤ人を中心とする国際金融資本家たちもそれを望んでいるのか？

丸山　ユダヤの同胞たちの国を守るためにアメリカに援助させて……というストーリーは描けそうですが。

ナオキマン　でも、先ほども言ったとおりバイデンについている国際金融資本家たちの考え方はグローバリスト、つまり国という壁をとっぱらって自分たちがよりお金を稼ぐことな気がするので、僕も本当のところはよくわからないなと思っています。

◎ユダヤ陰謀論におけるアメリカの対立構造

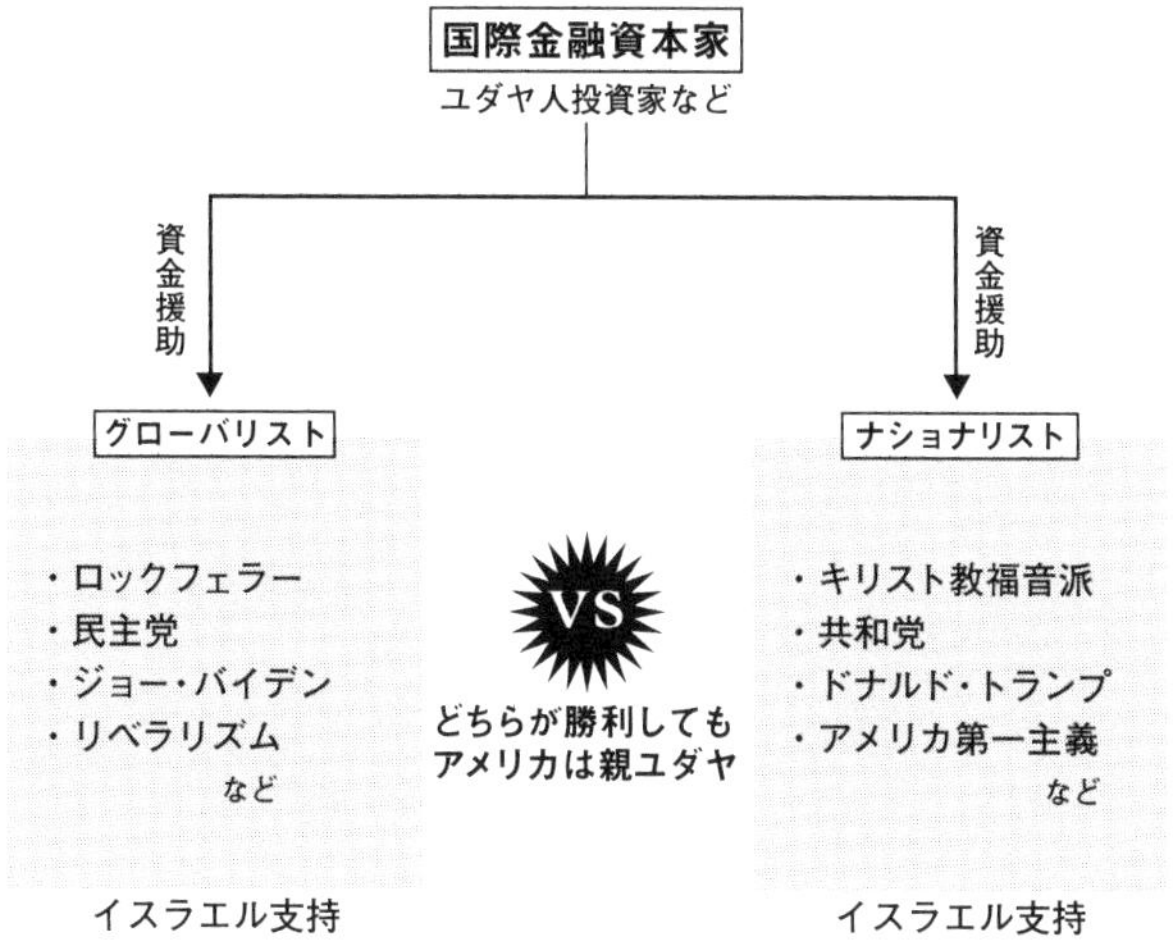

2020年1月、ホワイトハウスで握手を交わすトランプ大統領（当時）とイスラエルのネタニヤフ首相

イルミナティが操る世界とは

ナオキマン　先ほどお金のルールは世界のルール、という話が出ましたが、世界のルールをユダヤ人がつくっているということは、アメリカも中国もユダヤ人組織に上から操られている、と考えることもできます。これはバリバリの陰謀論ですが。

丸山　ユダヤ人組織というと？　先ほどのユダヤ人委員会のようなものですか？

ナオキマン　それもありますが、よく言われるのはイルミナティですね。現状、国連だとかWHOみたいな機関がさまざまな国の上にあるというか、国に対して一定の影響力を持つ立場ですよね。だけどさらにその上にはイルミナティ、ようするにユダヤ系の国際金融資本家がいて、その少数の人たちが世界を動かしていると。例えば現代の中国の体制というのは、毛沢東の時代にイルミナティが超共産国をつくってみる実験台にしようということでスタートしたと言われています。まあこれは陰謀論の中でも一番頂点に立つ、陰謀論の原点みたいな話なんですけど。

丸山　世界を動かす、というのがどういうことを指すかは曖昧ですけど、実際に世界の富の9割は3％の人が持っているわけで、少なくとも経済的な観点においてとんでもない影響力を持つ資本家がいるというのは事実ですよね。

ナオキマン　そうなんですよ。それで彼らの根本的な目的は、格差を拡大させることだと言われています。今日本の土地がどんどん中国に買収されてますけど、そうやって桁の違う金持ちがどんどん日本の土地や企業を買収していくんじゃないかと言われているわけです。日本でいう「格差社会」って年収３００万円の人と数千万円の人、みたいなレベルですけど、そうじゃなくて何十億円を稼ぐっていう人がどんどん日本に来る。

アダム・ヴァイスハウプト。ドイツのインゴルシュタット大学教授。18 世紀後半に、イルミナティの前身である啓明結社を結成した

丸山　すでにそういう流れはできていますよね。例えば今、パリのど真ん中に住もうと思ったら日本の平均年収の3倍は必要です。それにアメリカの大都市に家族で暮らすなら、世帯年収１０００万円では全然やっていけない。日本とは大違いですね。それくらい貧しい国になってきていると考えれば、政治的にはともかく、外国が経済的に日本を支配しようと考えるのは現実的

ですよね。

ナオキマン　ようは、日本みたいな国を金持ちたちの箱庭にしてしまう、というのが陰謀論的な彼らの目的ですね。

世界を操るためのハニートラップ

ナオキマン　ユダヤ人による支配という話だと、ジェフリー・エプスタイン事件も都市伝説の世界では話題です。この事件のことはご存知ですか？

丸山　アメリカの大富豪ジェフリー・エプスタインが起こした、大規模な児童買春事件ですよね？

ナオキマン　そうです。エプスタインもユダヤ人です。舞台はエプスタインが買った、リトルセントジェームズ島という島です。エプスタインはそこに、とある施設をつくりました。元々は別荘のようなもので、大富豪や著名人たちが集まる場所でした。大統領を務めたビル・クリントンや、マイクロソフトのビル・ゲイツ、英国王室のアンドリュー王子などが来ていたそうです。ハーバードの科学者が集まることもあったようです。

丸山　そうそうたる顔ぶれですね。
ナオキマン　著名人が、クローズドな環境で話し合いをするために、利用する場でもあったようですね。ただ、そこでいかがわしいことが行われていたことが、明らかになりました。14歳以下の小さな女の子たちを集めて、エプスタインが性的な行為をしていたと。
丸山　エプスタインは逮捕されて、裁判にもかけられましたね。
ナオキマン　そうです。ここから先が、都市伝説的な話になっていきます。エプスタインの全貌を知るキーパーソンとして、ギレーヌ・マクスウェルという女性がいます。エプスタインの彼女と考えられていた人物です。実際はビジネスパートナーだったみたいですが。彼女が少女たちを斡旋していたんじゃないかと言われています。いったいなぜかというと、彼女の父親であるロバート・マクスウェルが関係してきます。ロバート・マクスウェルのことはご存知ですか？
丸山　いえ、どんな人なのでしょう？
ナオキマン　イギリスで「メディアの王」と呼ばれている人物で、出版業界を牛耳りテレビ局も

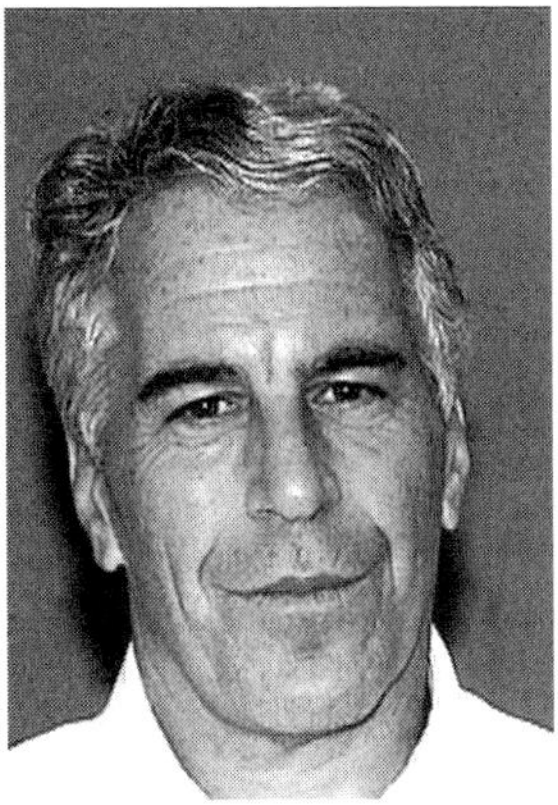
ジェフリー・エプスタイン。未成年を含む多数の女性がエプスタインから性的被害を受けた

ロバート・マクスウェル。イスラエルの諜報機関モサドのスパイだったと言われる

持っている大富豪です。実は彼には、「モサド」のスパイであるという噂があるんです。噂というか、99％事実だと言われているんですが。

丸山　モサドというのは、イスラエルの諜報機関ですね。世界トップクラスの諜報力を持ち、優秀な人材も多いことで知られています。

ナオキマン　そうです。結局、エプスタイン事件というのはなんだったかというと、ユダヤ人の策略だったんじゃないかという話です。ロバート・マクスウェルの息がかかったエプスタインは、アメリカの有力な政治家やエリートたちに売春の場を提供することで、弱みを握ろうとしていたのではないか、と。

丸山　なるほど、ハニートラップですね。弱みを握ってさまざまな交渉を有利に進めるために、エプスタインは働かされていた、と。

ナオキマン　そうですね。まあ、させられていたと言っても、エプスタインは実際に変態だったんですが。

丸山　そこは揺るがないんですね（笑）。

ナオキマン　エプスタインの変態話はいくらでもありますよ。例えば、彼は教員免許を持っていないのに、学校の先生をしていた時期があるんです。裏ルートで雇われたらしいんですが、そのときに生徒といかがわしいことをしていたという目撃情報が、多数あります。ロリコン体質だったのは間違いないと思いますね。

丸山　ギレーヌの父親の指示に従いつつ、自身の欲求も満たしていた、と。

ナオキマン　そうなんでしょうね。エプスタイン自身も、若い頃に勧誘を受けてモサドの工作員となっていたと言われています。そういう告発をしている人がいるんですね。この一件に関してロバート・マクスウェルからエプスタインに500億ものお金が流れたと言われています。ちなみにロバートの娘のギレーヌもスパイで、今も生きています。2020年に未成年者誘拐等の罪で捕まりました。

ハニートラップ強国ロシア&中国

丸山　ハニートラップって本当にありますからね。国をまたぐやつは特にあるんですよ。日本の外務省では、そういったハニートラップも含めて「この国はこんなことを仕掛けてくるぞ」という授業をするらしいですからね。

ナオキマン　へえ、それはリアルですね。

丸山　テキストを使うと流出の可能性があるので、口頭でそういう授業があるそうです。「ハニートラップ」とか「スパイ」「諜報機関」と聞くと胡散臭いと思う人もいると思うんですけど、国同士の情報戦の中でそういう行為は本当にあるんですよ。

ナオキマン　国が囲っているハニートラップの部隊がいるという話を聞いたことがあります。

丸山　います、います。ハニートラップの強国というとロシアと中国です。そのための組織はあるでしょうね。

ナオキマン　そういえば真偽は不明ながら、北京オリンピックの会場の真下に、ハニートラップのための接待会場のようなものがあったと、聞いたことがあります。

丸山　へえそうなんだ。それは初めて聞きました。

ナオキマン　その世界の隠語で「サウナ」って言うらしいんです。そこに女性を集めて招待客を接待すると。

丸山　確かに、そういうパーティみたいなハニートラップはありますね。他にも、運命の出会いをつくり上げるというタイプもあります。

ナオキマン　運命の出会い？

丸山　外国の外交官とか高級官僚をターゲットにしたら、まずその相手のことを徹底して調べ上げるんですよ。結婚しているなら奥さんはどんな人で、どこで出会ったのか。今夫婦生活にどんな不満を持っているのか、そういうのを全部調べ上げます。そして、例えばその人が本好きのロマンチックな人だとしたら、本屋でたまたま「自分の初恋相手に似た顔の人が自分の好きな本を手に取っている場面」とかを演出するんです。

ナオキマン　その人が一番ドキッとするシチュエーションをつくるんですね。手が込んでいる。

丸山　僕も本当かよって思いましたよ。でもこの話をしてくれた外交官いわく、実際にとある国に行ったとき、街を歩けば出会いばかりという状態だったそうで。

エプスタインは生きている？

ナオキマン　話は少し戻りますが、エプスタインに関係して、丸山さんに聞きたかったことがあります。「死んでない人を死んだことにする」っていうのはあり得るんでしょうか？

というのも先ほどのエプスタインも、表向きは刑務所内で首を吊って死んだとされていますが、実は生きていると言う人もいるんですよ。僕の知り合いで、しかもその人は「高確率で生きているよ」って言うんです。だけど、そういうことがはたして可能なのか、と思いまして。

丸山　アメリカのケースは僕にも確かなことはわかりませんが、日本でできないことはないです。

ナオキマン　日本で!?

丸山　日本では戸籍の売り買いがありますから。本人は整形とかして、他の人の戸籍を買ってその人として生きていくという話は、ないこともないと思います。ただ、かなり特殊な話ではありますよ。

ナオキマン　常習化してるというか、よくある手口ではないんですね。

丸山　そうです。ただ、アメリカの場合は日本よりもやりやすいと思います。というのも、アメリカは州をまたげば州警察が追いかけてきませんから。逃げるのは日本よりも楽なはずです。アメリカのドラマの『ブレイキング・バッド』とか『ベター・コール・ソウル』には、逃がし屋というか、消し屋というか、身分を変えてくれる人が出てきますよね。あの感じがリアルかどうかはともかく、日本でやれるならアメリカでやれたとしても、おかしくはないと思います。

ナオキマン　なるほど。

丸山　とはいえ、エプスタインくらい個性が強くて大きな事件にも関わっていた人が、逃げておとなしい人生を歩めるのかというところには、疑問がありますが。

ナオキマン　それは確かにそうですね（笑）。

——DIRTY MONEY——

第6章

裏社会の金

現代の埋蔵金

丸山　裏社会のことを追いかけていて面白いと思うのが、今どき現金決済っていうことです。犯罪者は大抵の場合、振り込みという手段を使えませんから。金融機関を利用すれば、犯罪履歴を残すことになるので。

ナオキマン　監視社会から逃れるためには、現金がいいってことですね。

丸山　はい。そうなると、そのお金を合法的に入手したように見せるために、マネーロンダリングが盛んに行われるようになります。このマネーロンダリングを駆使しつつ億万長者になったのが、麻薬王パブロ・エスコバルです。

ナオキマン　コロンビア出身で、政治家にもなった人ですね。ドラマや映画の題材にもなりました。

丸山　そうです。メデジン・カルテルという組織をつくって麻薬ビジネスをとりしきり、1980年代から90年代にかけて、世界を席巻しました。その人の残したお金があちこちに埋蔵金として眠っているというのが、今回のトピックです。

ナオキマン　実際のところ、どれくらいの富を築いたのでしょうか？

丸山　当然、金融機関を使えないので現金決済なんですけど、100ドル札を輪ゴムで束ねていたら輪ゴム代だけで数千ドル、つまりは数十万円かかったと言われています。

ナオキマン　輪ゴム代で数十万円（笑）。でも、麻薬を売る組織っていくらでもあったと思うんですけど、パブロはどうしてそこまで成功することができたんでしょうか？

丸山　いろいろ理由はありますが、一つは元本保証をしていたからです。これは、裏社会のビジネスとしては、あり得ないようなことなんです。パブロは主にコカインを売っていたんですが、もし途中で何かあったらうちが全部責任を持つから安心して買ってくださいね、とやったんです。

コロンビアの麻薬王パブロ・エスコバルが1976年に逮捕されたときの写真。このときは不起訴処分となる

ナオキマン　それでみんなパブロから買いたいと思ったのですか。

丸山　そういうことです。でも、あまりにも売れすぎて、お金が数えられないんですよ。そこでパブロが出した取引の条件が、「すべて100ドル札で支払うこと」というもの。なぜかというと、紙幣の枚数を数えるんじゃなくて、重さを量ることにしたんです。枚数だと数えきれないから。でも、すべて同じお札にしておけば重量で金額が計算できる。

ナオキマン　100ドル札〇グラムでコカイン〇グラムと交換、という話になるわけですね(笑)。時代を逆行している。

丸山　そうなんです。で、ここから埋蔵金の話につながります。そうやって荒稼ぎをしているから、お札が物理的に、莫大にあるわけですよ。金庫には入らないし、そこらへんの貸し倉庫に置いておくわけにもいかないじゃないですか。

ナオキマン　当然、金融機関には預けられないですもんね。

丸山　そうなんです。パブロは絶大な権力を持っていたので、そんなことで逮捕されたりはしなかったでしょうけど、それでも一応政府や警察に気を使ってはいるんです。だからうまいこと現金を隠さなくてはならない。

ナオキマン　どんな方法を使ったのですか？

丸山　最初にやったのが、ラップに巻いて地面に穴を掘って埋めるという方法です。でも、しばらくして掘り出したら、ラップの巻き方が甘くて、地下水が染みてお札が全部腐ってたらしいです。

ナオキマン　うわあ、もったいない。

丸山　次に考えたのが、穴を掘ってコンクリートで養生して埋める方法。それなら浸水の心配はないですよね。取材でこの地を訪れた際に、この抜け跡を見たことがあるんです。2メートル四方ぐらいの穴ですね。そういう穴の中に、現金を満杯に入れていた。

ナオキマン　そういう大金が、一つや二つどころではなく埋まっている、ということですよね？

丸山　そう、気になってパブロの実兄のロベルトに取材したのですが、どこに掘ったか覚えてないらしいんですよ。自分たちの拠点周辺だけじゃなくて、周りの国にも埋めたらしいので。当時は本当に忙しかったから、ロベルトもすべての場所を把握してないという話でした。

ナオキマン　じゃあ、まだパブロの大金が埋まってる可能性があるんですね。確かに埋蔵金です。

丸山　掘り返されたものもありますが、ロベルトにまだあると思うか聞いたら、「ある」って答えてました。

ナオキマン　コロンビアでそこらへんを掘り起こしたら、100ドル札の山が出てくるかもしれないってことですか。

丸山　いまだに出てきているんですよ。実際に割と最近、牧場から大金が出てきたっていうニュースがありました。

ナオキマン　へえ、それはロマンがある話ですね。

丸山　そのときは掘った人が届け出たからニュースになりましたけど、当然、届け出ない人だっていますよね。

ナオキマン　そりゃそうですよね。

丸山　で、考えてほしいんですけど、さっきナオキマンさんも言っていたとおり、麻薬を売ってる人間っていうのは世界中にいるわけです。パブロほどじゃないとしても、麻薬王と言われるような人っていうのは結構いる。同じように金の処理に困るということが、起きてるはずなんですよ。

ナオキマン　現金決済が必須で、それを隠す必要があったっていうのは共通してるはずですもんね。

大金の壁

裏社会の金は金融機関に預けられないため、大金を稼いだ者は安全な隠し場所を探す必要があった

丸山　そう、だからコロンビア以外で同じようなことがないか、調べを進めていたんです。その過程で、ニューヨークのドラッグディーラーの存在を知りました。僕は会っていませんが、どうやら日本人らしいんです。その人は現金が貯まると、郊外の誰にも教えていない秘密の隠れ家に行って、そこに現金を積んでいるらしいんです。

ナオキマン　現代版麻薬王ですね。

丸山　そうです。そういう人は何人かいるんですが、そのうちの一人ですね。で、僕の友人が何かの流れでその隠れ家に行っちゃったらしいんですよ。すると玄関からちらっとだけ、札束が見えたそうです。その様子がすごい。奥のほうに古本が積み上げられるように、家中人の背より高く積まれていて、壁のようになっていたと言うんです。ドラッグディーラーということは裏の住人ですから、友人は怖いと思ってずっと誰にも言わなかったそうです。そうこうしていると最近、そのドラッグディーラーが別件でヘタを打って、ドラッグディーラーとはバレないまま、逮捕されたそうなんです。

ナオキマン　日本人っておっしゃってましたよね？

丸山　そうです。日本に強制送還されたんです。ってことはですよ。アメリカのどこかに、その現金が壁のように積まれた家がまだそのまま残されてるんです。

ナオキマン　うわあ気になりますね。その人は何をして送還されたんですか？

丸山　確かビザ関係の不備ですね。

ナオキマン　普通のニュースにもならないような理由じゃないですか。その家って捜査が入ったりしないんですか？

丸山　麻薬で捕まったならともかく、事件性のある話じゃないですからね。ただの空き家として見られるでしょう。家は家で別にあったので、そっちは調べられたかもしれないですけど。もしかしたら数年後にアメリカで、「空き家から大金発見」というニュースになるかもしれません。

ナオキマン　別荘みたいなもんなんですね。それなら警察も知らない可能性がある。

丸山　ただ、こういう話ってよくあって、普通は身内の誰かに取りに行かせるんですよ。獄中からでも指示は出せますからね。その人は本当に秘密主義だったから、そういう協力者みたいな人をすぐには用意できなかった。だから任せられる人間を探してるらしい、っていう話を聞きました。めちゃくちゃ興味があるんですよね。

ナオキマン　ゴンザレスさんはその家に行ってみたいんですか？

丸山　行ってみたいですねえ。犯罪で稼いだお金なので、自分がそれを手に入れたいとは思いませんが、現金が壁のように積まれた光景は、見てみたいです。

GHQトップのダグラス・マッカーサー。M資金と呼ばれる莫大な富を残したという都市伝説がある

M資金とキアッソ米国債事件

ナオキマン　埋蔵金に関係する都市伝説として、僕からはM資金の話をしたいと思います。

丸山　戦後にGHQのマッカーサーが残したとされる資金ですね。僕らの世代はテレビでも散々扱われていたので、かなり馴染みのある都市伝説です。

ナオキマン　おっしゃるとおりです。資金の出どころは、日本軍が東南アジア中から奪った金やら物品やらで、戦後にＧＨＱが接収したとされています。その額は、少なくとも数千億円。表向きには１９５０年代に日本政府に返却されたことになってるんですけど、返却されたのは数十億円くらいで、ほんの一部なんじゃないかとも言われてるんです。

丸山　２０２０年には、Ｍ資金を騙った詐欺もありましたね。被害総額は約31億円にものぼります。Ｍ資金詐欺自体は、１９８０年代から何度か事件化してきました。騙されるのは、経営者や大企業の役員です。だから被害額も大きいのですが、31億円という大規模な詐欺は初めてです。

ナオキマン　一般的には、大きな話って怪しく見えるものですけど、資産家の中にはロマン派だったり、成功者の自分が騙されるはずがないと思い込んでしまったりして、信じてしまう人もいるんですよね。じゃあ一部を返して残りの金をどうしたかというと、日本を操るため、すなわち日本の政治家に渡して言うことを聞かせるための資金にされたって、都市伝説界隈では言われているんです。

丸山　なるほど。

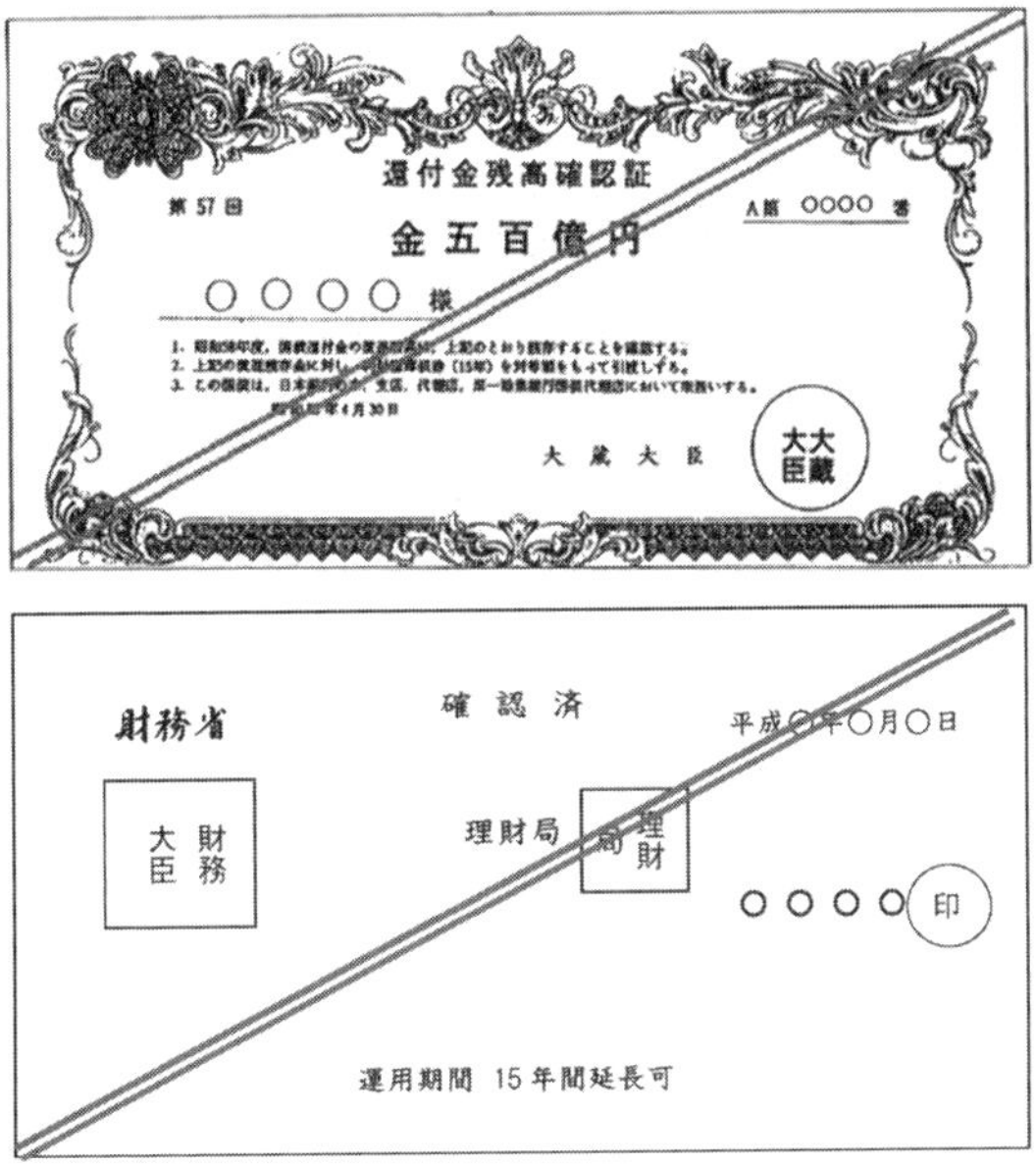

過去にM資金詐欺で使われた架空の証書「還付金残高確認証」の例（出典：財務省HP）

ナオキマン　今回の話の本題は、ここからです。２００９年にキアッソ米国債事件というのがあったんです。舞台は、イタリアとスイスの国境近くの自治体キアッソ。スイスに入国しようとしていた日本人二人組が、総額１３４５億ドルの米国債が入った鞄を持っていたということで、拘束されたんです。

丸山　日本円に換算すると、当時のレートなら13兆円くらいですか。とんでもない金額ですね。なんだか不思議な事件に思えます。

ナオキマン　ですよね。結局、発見された米国債は、表向きは偽造の国債だったってことになりました。イタリアの法律では、換金しようとせずに所持してるだけなら罪には問われない。そのため、二人組は釈放されたんですよ。

丸山　偽物だとしても、そんな額の米国債をどうするつもりだったのか気になりますね。

ナオキマン　しかもその国債っていうのが、ジョン・F・ケネディが大統領だった頃のデザインだったらしいんですよ。

丸山　というと、1960年代前半ですね。60年くらい前の国債というのは珍しい。

ナオキマン　そう、おかしいじゃないですか。どう考えても違和感だらけです。どうやらそれが、M資金なんじゃないかって話があるんです。さっきも言ったとおり、M資金っていうのはアメリカが——主に共和党らしいんですが——日本の高官たちを操るための賄賂として使っていたとされるお金です。だからその国債も、ニクソン大統領がケネディに選挙で負けて政権が共和党から民主党へと交代する際に、一時的に日本に返そうとして発行した国債なんじゃないか、と。

丸山　じゃあその二人は、受け渡しのためのエージェントか何かってことですか？

ナオキマン　そう言われています。一説によると、その二人組というのが財務省関係者で、元財務事務次官の義弟だったらしいんです。で、2009年に日本の政界で何が起きたか覚

共和党のリチャード・ニクソン（左）と民主党のジョン・F・ケネディ（右）。1960年の大統領選で争い、ケネディが勝利した

えてますか？

丸山　2009年……政権交代ですか。

ナオキマン　そうです。このときの選挙は、自民党にとって向かい風でしたよね。その逆境をなんとかしようとした自民党が、選挙資金を確保する目的で、アメリカから回収しようとしていたお金なんじゃないか、ということです。だけど二人が逮捕されたことで、受け渡しは失敗した。その結果として選挙活動に支障が出て、日本では政権交代が起きたんじゃないかと言われているんです。

丸山　確かに、タイミングとしてはおかしくないですね。

ナオキマン　さらに面白いことが、その逮捕の3ヶ月前に起きています。アメリカのガイドナー財務長官が不良資産救済プログラム、通称タープっていうものを公表しました。その準備資金として、１３４５億ドルあるって言ってるんですよ。この後にキアッソで見つかる偽米国債の額と、同じです。金額は実際に記録として残っているので、ネットで検索していただければ確かめられます。

丸山　へえ、確かに偶然の一致にしては、できすぎている気もしますね。

ナオキマン　ガイドナー財務長官はオバマ政権ですから、民主党です。つまり共和党が管理していたM資金がどこかのタイミングで民主党に渡ってしまっていたから、日本は受け取れなかった、それをごまかすためにキアッソで逮捕させたんじゃないか、ということです。

山下財宝に踊らされる人々

丸山　先に触れたように、日本では「実はM資金は実在していて、それを運用しているんだけど」という謳い文句で詐欺をするM資金詐欺がありました。それと同じようなもので、フィリピンで「山下財宝詐欺」というのがあります。

ナオキマン　山下ということは、日本人と関係する財宝ということですか？

丸山　そうです。第二次世界大戦中、日本陸軍の山下奉文《ともゆき》将軍が東南アジアで接収した金塊を日本に輸送しようとしたものの、連合国軍の攻撃が激しかったために断念して、フィリピン国内に隠した、という都市伝説です。で、これがM資金と同じように詐欺に使われているんです。よくあるのが「あと1メートル掘れば山下財宝が出てくるってところまできてるんだけど、資金が尽きてしまったから援助してくれないか」というものです。

ナオキマン　冷静に考えると、なんであと1メートルってわかるんだよ、ってなりますよね(笑)。

丸山　山下財宝は海の底にある、という説もあります。確かに、日本軍があとでとりにくるつもりだったら、見つかりにくい船に隠したとしても、おかしくはないですよね。実際、日本のあるグループが、フィリピンの近海で沈没船があるというのをソナーで探し当てたことがあります。そこに山下財宝があるはずだって言ってダイバーも用意して探索に行ったところ、フィリピン政府からストップをかけられたんです。この海域には立ち寄るな、と。

ナオキマン　雲行きが怪しいですね。でも本当にそこに財宝があって政府が把握してるなら先に拾ってるはずですよね。

丸山　そうなんですよ。で、この真相が、僕がまったく別の取材をフィリピンでしているときにわかったんです。現地の人とお酒を飲んでいて「なんか港のほうは警備が厳しいんですよね」という話になったんです。そしたらその現地の人が「しょうがないよ港は」って言うわけです。何かあるんですかと尋ねたら「フィリピンのゴミの量を考えたことある？ スモーキーマウンテンでおさまるわけがないじゃん」って言うわけですね。つまり政府が港にゴミを不法投棄していると言うんです。考えてみたらあんな狭い国ですから、ゴミを埋め立てる場所がないっていうのはわかります。

セブ島のゴミ山。マニラ市のスモーキーマウンテンをはじめ、ゴミ山はフィリピン各地に存在し、環境問題を起こしている

ナオキマン　山下財宝とはまったく関係ないところで、政府の闇が発覚したと（笑）。じゃあ山下財宝の実在を示す、信憑性のある話は特にないんですか？

丸山　基本的には証拠も信憑性のあるストーリーもない都市伝説ですね。でも今、フィリピンに山下財宝を掘り当てたんじゃないかって言われてる大富豪が三人いるんですよ。突然大金持ちになって財閥をつくった人はいるんです。

ナオキマン　面白いですね。ロマンがあるな、それは。

詐欺師は流行に敏感

丸山　M資金や山下財宝のような話は今聞くと「そんなのに引っかかる人いるの？」と思われるかもしれませんが、最近多い仮想通貨関係の詐欺も将来的にはそう思われるのかもしれませんね。

ナオキマン　「新しい仮想通貨ができるから投資しない？」と言ってお金を集めるようなやり口ですか。

丸山　そうですね。裏社会には新しいもの好きが多いのでそういうのに引っかかる人も結構いるようですが、よくよく話を聞くと構造としてはネズミ講みたいなものなんですよ。

ナオキマン　誘った相手がさらに次の人を誘って……と増えていく。

丸山　そうです。今、「1000円でこれを買って、誰か友だちも誘ったら2000円になるよ」って言われたら誰でもネズミ講だって気づきますよね。だからそれを、「これこれこういう仮想通貨を開発していて、今のうちに投資するとこれくらいになって戻ってくるんだけど投資家を集めてて、さらにそこにはこんな保障があって」とそれらしい話でコーティングするわけです。

ナオキマン　確かに流行りのワードを使った詐欺っていつの時代もありますよね。都市伝説界隈だと、新紙幣が発行されるときに預金が封鎖されるって言われるんですよね。

丸山　２０２４年には日本でも新紙幣が発行されますね。

ナオキマン　そうです。なので今のうちに預金を別のところに動かしておきましょう、っていう詐欺もあると聞いたことがあります。

丸山　もう話題になることは全部やるんですよね。そこで注意したいのが、物を知らない間抜けな人が詐欺にかかりやすいかというと、必ずしもそうでもないんですよね。

ナオキマン　仮想通貨などは、ある程度アンテナを立てていて早めに興味を持った人のほうがかかったかもしれませんね。

丸山　ええ、そうです。それに知識があったりやっている仕事のレベルが高いからこそ詐欺に気づかないケースというのもあるんです。僕の知っている例だと、とあるお金持ちの人が知り合いから「この会社に役員として籍だけ置いてくれたら毎年1億円入ってくる」って言われたらしいんですね。

新紙幣は2024年7月3日より発行される予定。上から渋沢栄一（10000円）、津田梅子（5000円）、北里柴三郎（1000円）。財務省は「現行の紙幣が使えなくなる」といった詐欺に騙されないよう注意喚起をしている（出典：国立印刷局HP）

ナオキマン　え、それで置いたんですか？

丸山　そうなんです。というのも、その人はとある事業で大成功したあと今は半引退していて、デイトレードで毎日何億、何十億と動かしているような人なんです。僕らからすると籍を置くだけで1億なんてそんな話あるわけないだろと思いますけど、そういう人からすれば「ふーん、1億ね、わかったよ」と感じてもおかしくない。

ナオキマン　確かに1億円が僕らにとっての1万円くらいだとしたら、ちょっとお得な話だからまあやっておくか、となっても不思議ではないですね。

丸山　それで「ちょっと経費がかかるんで立て替えてくれませんか」みたいな形でちょくちょくお金を出させられたりして、何年かしてから詐欺だと気づいたという。

ナオキマン　扱う金額が大きすぎると正常に判断できなくなるのかもしれませんね。

丸山　M資金にせよ山下財宝にせよ、そういう構造だったんだと思います。しかもそうやってお金を持っている人というのは、新しいものに興味を持ったりチャレンジしたりする人が多いですからね。

ナオキマン　だからこそ成功者になっている、という人も多いでしょうからね。

詐欺師の末路

丸山　詐欺をするほうに目を向けると、だいたいは悲惨な目に遭っていますね。

ナオキマン　バレて捕まるとかではなく、ですか？

丸山　詐欺をしている人間はめちゃくちゃタタキに遭うんですよ。

ナオキマン　タタキ、というのは強盗事件ですよね。詐欺で集めた金を別の犯罪者に狙われてしまう、と。

丸山　そうです。詐欺に限らずですが、違法な手段で稼いだお金や脱税で貯めたお金というのは、奪われたところで警察に届けることができないじゃないですか。だからそういうお金は遠慮なく奪ってもいいという考え方が、裏社会には結構あるんです。

ナオキマン　なるほど。合理的というかなんというか。

丸山　詐欺をやるような人間の周りには、だいたい他にも裏社会の住人がいますからね。この間までチンピラみたいだった奴がいきなり高い時計をつけたり高級車に乗ったり羽振りがよくなると、だいたい美人局《つつもたせ》とか薬物を使ってハメられます。詐欺師の最後はだいたい奪われる側に回るんです。

ナオキマン　犯罪者の食物連鎖ですね。

これから危ないのはドバイ

丸山　そういう犯罪者同士の共食いがこれから起きそうなのがドバイです。
ナオキマン　確かにドバイは今、お金を持っている人が集まっていますよね。
丸山　まず詐欺というのは、始めたときは周りに獲物がたくさんいるんです。だけどその獲物たちを狩っていくと徐々に狙える相手がいなくなる。そうすると詐欺師は次のステージを探します。
ナオキマン　それこそ先ほど話したような、新しいテクノロジーや流行りのものを使った手法に変えていくわけですね。
丸山　そうです。けれどそんないいやり方が常に見つかるわけではないし、そもそも獲物は新しく見つけなければいけないわけですよね。元々いたコミュニティでは詐欺はできなくなっているので。何が言いたいかというと、詐欺師当人はどんどん次のステージに進んでいるように感じていても、それって逃げているのと同じなんですよ。

ドバイの街並み。828メートル超のブルジュ・ハリファをはじめ、高層建築が立ち並ぶ。世界中から資産家が集まる地として有名。詐欺師も少なからず含まれる

ナオキマン　今いる場所をどんどん追われているような。

丸山　そうやって逃げて逃げて、最終的に行き着くのが現代ではドバイなんです。各国で獲物を狩って狩って、太った状態の詐欺師がドバイに集結しています。ご存知のとおりドバイは個人所得税がかからないということで、さまざまな国から資産家が集まっていますよね。

ナオキマン　詐欺師にとっては楽園みたいなところということですか。

丸山　今まではそうだったんですよ。でももう共食いのフェーズにきているみたいですね。

ナオキマン　すごい、詐欺師同士の騙し合い。映画みたいですね。

丸山　そういった詐欺の元締めで、その世界で影

響力のある人がいて。その人のコミュニティに入っていれば安心だよね、という親分みたいな人が身内食いを始めているんですよ。そうなるとほんの少し残っていた裏社会の秩序みたいなものも、もう崩壊していっている。これはつい最近聞いた話なので、この本が出る頃にはドバイの裏社会情勢も大きく動いているかもしれません。

ナオキマン　本当に映画の世界ですね。詐欺師同士の最終戦争が起きようとしているわけだ。めちゃくちゃ面白いです。

丸山　逃げようにも、ドバイを出たらもう行く場所はないですからね。それくらい、最後の楽園のような場所だったので。

殺しの相場

ナオキマン　お金の話で一つ思い出したんですが、闇の社会の人に誰かの殺害を依頼する場合の相場ってどれくらいなんでしょうか？　以前、とある知り合いの有名人が喧嘩をしていたとき、片方がもう片方のことを「2000万も出せばあの人のことを行方不明にしてやれるんだけどね」って言ってたんですよ。どれくらい本気かわからないし、くだらない喧嘩だったので僕は無視していたんですけど、それって相場的にリアルな金額なのかなっていうのを聞いてみたくて。

丸山　結論から言うと、結構リアルな金額な気がしますね。ただ、殺しの相場というのは本当にピンキリですよ。下はポケットの小銭から、上は数億円までさまざまな例があります。

ナオキマン　そんなに幅が広いんですか？　どういうところで変わってくるのでしょうか。

丸山　順番にいきましょうか。まずはポケットの小銭で殺しを請け負ってくれる例について。これは海外のスラム街なんかにいる薬物中毒者ですね。小銭を渡して「どこどこにいるあいつをやってくれ」って言えばやってくれます。もちろん高度な殺し方はできないし、死体の処理もしてくれませんが。

ナオキマン　なるほど、確かにそういう人もいるでしょうね。

丸山　もう少し高い例になると、バイクで通りすがりにピストルでバンッと撃っちゃうやつですね。昔、知り合いの編集者がフィリピンのマフィアについて調査していたとき、フィリピンにいる知り合いから「あなた今フィリピンに来たら殺されるから注意してくださいね」って連絡をもらったらしいんですよ。

ナオキマン　本当にそんなことあるんですね。

丸山　で、そのとき「フィリピンではこういうことが普通にあるから」という警告の意味で動画を送ってくれたらしいんですが、その動画というのが先ほどの、バイクが通りすがりに頭を撃っていくというやつ。それを10万円くらいで頼めるから、本当に危険だよという話でした。

ナオキマン　10万円……人の命の値段にしてはめちゃくちゃ安いですね。

丸山　他にもいくつか話を聞いたことがありますが、そういう殺し方だと1000～2000ドルくらいが相場な感じはしますね。

ナオキマン　やはり海外だから、というのはありますよね。日本の場合はどうなんでしょうか。

丸山　僕が日本の元ヤクザの方に取材をしたときは、以前に4000万円くらいで依頼をしたと言っていましたね。そのときは実際に相手は死なず殺人未遂だったらしいですが。ただ、このあたりも殺し方などで幅が出ると思います。例えば、裏社会の人間とつながっている人を知っている、くらいの人間ならば、1000万円もあれば誰かを殺してくれと依頼することはできると思いますよ。

ナオキマン　じゃあ僕が聞いた2000万円というのは……。

フィリピンの首都マニラ。ドゥテルテ政権により同国ではマフィアが次々と摘発されて治安は改善されたが、スラム街には今も危険が潜む

フィリピンのスラム街。生活用水を確保しやすい海岸沿いや川沿いに、スラムは集中している

丸山　はい、少なくとも金額自体は結構リアルな気がします。お相手の方も有名人ということならたぶん1000万円よりは高くなるでしょうし。

ナオキマン　当時は、またまたそんなこと言って……というくらいに思ってましたが、そう聞くとちょっとぞっとしますね。それはそれとして、数億円が動くというのはどういう場合なんでしょうか？

丸山　30年〜40年くらい前のヤクザは2億円くらい払っていた、と聞きましたね。今はもっと安いと思いますが。

ナオキマン　2億！　まさに桁違いですね。なぜそれだけのお金が動くんでしょうか。

丸山　ヤクザの殺しというのは、殺した実行犯が逮捕されて出所するところまでちゃんと面倒を見るわけですよね。このあたりはその組の資金力によっても大きく変わりますが。資金が潤沢な組の場合は、殺す前に前金としてある程度の金額を渡します。刑務所に数十年入ることになるわけですから、その間の家族の生活とかに困らない分を払っておくんです。そして出所してきたら「御勤めご苦労様」ということで、さらに支払われる。そういうのが合計で2億くらいだった時代はあるみたいです。

ナオキマン　なるほど、人情じゃないですけどそういう背景まで含めた金額なんですね。

丸山　ただ最近はどこの組も厳しいですから、相場は下がっていますね。10年くらい前に組の中で結構なポジションだった方が実行犯を務めたときは、刑務所にいるときに3000万円ほどの差し入れがあり、出所してから4000万円を渡されて合計7000万円くらいと聞いたことがあります。

ナオキマン　30～40年前の半分以下ですか。知らないところで命の重みがなくなっていくようで、怖いですね。

知らないところで必ず何かが起きている

丸山　今ナオキマンさんが指摘したことは、非常に重要だと思います。僕らが知らないところでも、必ず何かが起きている。言われてみると当たり前ですが、そのことに意識的な人は、そう多くないでしょう。現代社会は、人間を受け身の存在にしますから。

ナオキマン　確かに、ネット社会は自分が知りたい情報以外をシャットアウトできますからね。知りたいこと以外、そもそも関心を持ちにくい。

丸山　そうです。そうなると、知らないことは、存在しないことにされてしまう。

ナオキマン　よくわかります。ＳＮＳの影響でより極端になっていますね。

丸山　だからこそ、自分から情報を拾いにいかないと、世の中に流されて、自分で判断できない人間になってしまいます。いざというとき誰かが助けてくれると考えるのは危険ですよ。例えば国際的な危機を迎えたとき、公的機関や国際機関が一市民の我々に対して事前に対策を教えてくれるかと言うと、そんなに優しい世界ではない。

ナオキマン　昨今の戦争や国際紛争でも、舞台となった地域の住民たちは翻弄されています。

丸山　そんな悲劇が起こる世なら、日頃からニュースを見るなりして、積極的に情報を取りにいくことが大事です。ひとつひとつの情報は点でも、推測によって点と点を線で結ぶことができる。この推測によって見えてくるものの一つが、都市伝説だと思うんです。その推測の中には、「やっぱり人間って怖いよね。欲深いって恐ろしいよね」というものも含まれてくる。

ナオキマン　その指摘は面白いですね。まあ、欲は誰もが抱くものですから、人間らしいといえば人間らしいのかもしれませんが。

丸山　そうですね。人間の欲がなくなれば世の中が良くなるのかというと、そうでもない。

ナオキマン　犯罪が減るなどメリットもあるかもしれませんが、それと引き換えに人間らしさが失われるとしたら、生きている意味ってなんだろうって思っちゃいますね。

丸山　たぶん人間味って、機械的に考えると無駄なこと、邪魔なことに思えちゃうんですけど、本当はそれがあって初めて生きるのが面白くなる。健康で長生きできるからといって、無味無臭のものばかり飲み食いするのは嫌じゃないですか。塩分が多いもの、脂分が多いものって、体に悪いとわかっていても、やっぱり美味しいんですよ。

ナオキマン　苦みのある食べ物にも、人間は美味しさを見い出しますしね。

丸山　苦みって本当は毒じゃないですからね。おいしいって感じる人間が今こうやって生きているってことは、我々はそういうものを楽しめる生き物に進化してきたってことです。ただこの先、どういう進化を遂げていくのか。本当に毒的なものを排除していく可能性もあります。それに人間関係でも、毒的なものを排除する流れになるかもしれない。

ナオキマン　気持ちのいい人とだけ付き合う社会ですね。

丸山　そんな社会は本当に気持ちがいいのか。自戒の念を込めて書きますが、そのことは社会全体でよく考えなければいけないと思います。

おわりに

人間の欲望は怖いけど、その欲を表現するのが世界だし、恐れが全くない世界ならば、生きている意味はないのではないでしょうか——。

対談の終盤、ナオキマンさんが口にしたこの言葉が、今も印象に残っている。

確かに、お金を稼ぎたい、快楽を得たい、権力を持ちたいというのは、いずれも欲の話だ。行きすぎるのは問題だけれど、欲がない世界なんてあり得ないし、あったとしてもつまらないと、僕も思う。ディープな現場で取材をしているときにも、冗談交じりで「キャバクラや風俗がない街なんかは物足りない」という声を、何度も耳にしてきた。

この本の裏テーマとして、僕はコミュニケーションについて話してきたつもりだ。ヒトコワの話というのは、人と人とのコミュニケーションのときに生じる摩擦と言い換えてもいい。騙したり殺したりするにしても、一人では成立しない。戦争によって世界のテクノロジーが変化するように、摩擦が生じるからこそ世界は否応なく変わるし、だからこそ学びにもなる。

しかし今はテクノロジーが進歩して、他者とコミュニケーションをとらなくても、生きようと思えば生きられる世界になりつつある。僕はそのほうが怖い。人間がケモノと違うのは、社会性があるからではなかったのか。人と人とが関わっていくからこそ、ヒトコワは生まれる。人は怖いけど、僕らが生きる意味と密接に関わっている。だったら目を背けるのではなく、社会に根差したものとして、受け入れるほかないだろう。

さて最後に、対談を快くお引き受けいただいたナオキマンさんに、お礼を申し上げたい。右の考えは、ナオキマンさんとの対談を通じて意識化することができた。またディープなお話を聞ける日がくることを願っています。

２０２４年2月　丸山ゴンザレス

著者略歴

Naokiman Show

アメリカ、シアトル生まれ。都市伝説＆ミステリー系 YouTuber。2017 年 7 月より、世界のミステリー事件、陰謀論、スピリチュアルなど、解き明かされていない謎をテーマに動画を配信中。2024 年 2 月時点でメインチャンネル「Naokiman Show」の登録者数は約 200 万人。2nd チャンネルの登録者数は約 111 万人。10 代、20 代の若い世代を中心に絶大な支持を得ている。著書に『ナオキマンのヤバい世界の秘密』『ナオキマンが解説するマンガ人類起源の秘密』（日本文芸社）などがある。

丸山ゴンザレス

1977 年、宮城県生まれ。ジャーナリスト、編集者。國學院大學学術資料センター共同研究員。無職、日雇い労働、出版社勤務を経て独立。危険地帯や裏社会を主に取材しており、テレビ、YouTube「丸山ゴンザレスの裏社会ジャーニー」でも活躍中。著書に『アジア「罰当たり」旅行』（彩図社）、『世界の混沌を歩く ダークツーリスト』（講談社）、『世界の危険思想 悪いやつらの頭の中』(光文社)、『タバコの煙、旅の記憶』（産業編集センター）などがある。

構成・編集協力：平澤元気

目次・扉画像出典

目次：Mongkolchon Akesin/Shutterstock.com
1 章：iStock.com/Bitter
4 章：著作者：Rochak Shukla ／出典：Freepik
6 章：Uncle Leo/Shutterstock.com

ヒトコワ都市伝説

2024 年 4 月 23 日第 1 刷
2024 年 4 月 24 日第 2 刷

著　者　　Naokiman Show　丸山ゴンザレス

発行人　　山田有司

発行所　　株式会社　彩図社
東京都豊島区南大塚 3-24-4
ＭＴビル　〒 170-0005
TEL：03-5985-8213　FAX：03-5985-8224

印刷所　　シナノ印刷株式会社

URL：https://www.saiz.co.jp　https://twitter.com/saiz_sha

ISBN978-4-8013-0713-1 C0095